TiMMY LALOUSE

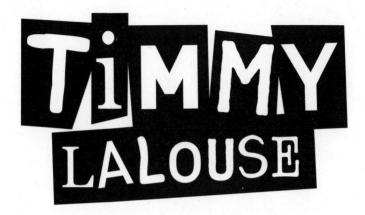

STEPHAN PASTIS

Traduit de l'anglais (États-Unis)
par Aude Lemoine

hachette

Illustrations intérieures et de couverture : Stephan Pastis, 2013.
Police WBTimmyFailure : Stephan Pastis, 2012.

Traduit de l'anglais (États-Unis) par Aude Lemoine

Maquette de l'édition française par MAOGANI

L'édition originale de cet ouvrage a paru en langue anglaise chez Candlewick Press,
sous le titre :
TIMMY FAILURE NO. 1: MISTAKES WERE MADE

À mon oncle George Mavredakis.
Merci pour tout.

Prologue-pour-ne-rien-dire

Faire entrer un ours polaire en voiture dans le salon de quelqu'un est plus difficile que ce que vous pensez : d'abord, il faut que la fenêtre dudit salon soit suffisamment grande pour laisser passer la voiture. Ensuite, il faut que la voiture soit assez large pour contenir un ours polaire. Enfin, il faut que l'ours polaire ait assez de jugeote pour ne pas vous signaler vos erreurs. Par exemple, vous faire remarquer que vous vous êtes trompé de maison. Laquelle erreur, lorsqu'il est question d'une voiture dans un salon, est assez grossière.

Je ferais mieux de revenir en arrière.
(Dans mon récit. Pas en voiture.)

CHAPITRE
1
Bla, Bla, Bla, Bla, Bla

Bon, commençons par nous débarrasser immédiatement des détails barbants. Je m'appelle Lalouse. Timmy Lalouse. Et voici à quoi je ressemble :

Timmy Lalouse

Signe Distinctif: MA FIDÈLE ÉCHARPE

Autrefois, mon nom de famille était Lalou mais il a changé. Aujourd'hui, il s'écrit comme vous le voyez. Et je vous conseillerais de garder vos blagues sur Lalouse pour vous. Parce que je suis tout sauf un loser. En effet, vous avez devant vous le fondateur et président-directeur général de l'agence de détective grâce à laquelle je me suis fait un nom : Lalouse,

Inc. Lalouse Inc. est la meilleure agence de détective privé de la ville et, probablement, de l'État. Voire de tout le pays.

Le livre que vous tenez entre vos mains est un témoignage historique de ma vie d'enquêteur. L'exactitude des faits a été rigoureusement vérifiée. Tous les dessins inclus sont de moi. J'ai essayé de charger mon associé des illustrations mais elles n'étaient pas bonnes. Jugez vous-mêmes, avec ce portrait de moi :

J'ai décidé de publier ce récit car mon expertise est d'une valeur inestimable pour toute personne se destinant à une carrière de détective privé. Il n'y a qu'à lire les critiques :

« D'une valeur inestimable
   pour toute personne se destinant
   à une carrière de détective privé. »
                                    – Anonyme

La reconnaissance, cependant, n'est pas venue tout de suite : j'ai dû surmonter plusieurs obstacles. Notamment :

    1. ma mère

    2. mon école

    3. mon imbécile de meilleur ami

    4. mon ours polaire

Je devine que vous vous posez la même question que n'importe qui d'autre quand je dresse cette liste : pourquoi suis-je ami avec un imbécile ? J'y reviendrai plus tard. Oh, je suppose aussi que je devrais dire un mot sur cet ours polaire de sept cents kilos.

Son nom, c'est Totale.

Totale

L'Arctique, d'où vient Totale, est en train de fondre. Du coup, il s'est mis en quête de nourriture et il est tombé sur la gamelle de mon chat. Il se trouve désormais à une distance de 4 962 km de chez lui. Je sais, ça fait une trotte pour une simple gamelle de chat mais les croquettes qu'on achète sont hyper bonnes. Hélas, mon chat est à présent au Paradis des Matous (à moins qu'il ne soit au Purgatoire des Chats parce que, franchement, il n'a jamais été très sympa comme matou) mais il me reste mon ours polaire.

Au début, Totale se montrait plutôt zélé et fiable ; c'est pourquoi j'ai accepté d'en faire mon associé. En vérité, son zèle et sa fiabilité étaient une fourberie. C'est courant chez les ours polaires. Et je n'ai pas envie d'en parler. Je ne souhaite pas non plus discuter du changement que j'ai apporté au nom de mon agence que vous pouvez donc découvrir tel que suit dans votre annuaire préféré :

LALOUSE TOTALE, INC.

(ON N'EST PAS DES LOSERS, CONTRAIREMENT À CE QUE LE NOM INDIQUE.)

Là, il faut que je file : le Télétimmy sonne !

CHAPITRE 2

Y a plus d'bonbecs

L'appel vient de Gunnar. Camarade de classe, voisin et autre victime du voleur de bonbons d'Halloween. Les cas de disparition de bonbons sont légion dans ma profession. Pas le genre d'affaire qui fait les gros titres mais c'est de l'argent vite gagné, qui tombe directement dans mes poches. Je réveille donc mon associé avant d'enfourcher ma Lousomobile.

Je devrais dire un mot sur la Lousomobile. En réalité, elle ne s'appelle pas comme ça. C'est un transporteur personnel, un Segway. Il appartient à ma mère ; elle l'a gagné à une tombola. Et elle a imposé certaines restrictions quant à la fréquence et à la manière dont je peux m'en servir.

J'ai trouvé ça plutôt vague. Du coup, je l'ai emprunté. Jusqu'ici, ma mère n'a rien dit. Principalement parce qu'elle n'en sait rien.

Ce qui m'amène à l'un des principes de base de Lalouse Totale, Inc. que j'ai gravé à l'encre sous la semelle de ma chaussure gauche pour ne jamais l'oublier :

TOUT CACHER À MAMAN

Le seul reproche que je formulerais à propos de la Lousomobile, c'est qu'elle n'est pas rapide. Quand je la prends pour me rendre quelque part et que Totale m'accompagne à pied, c'est lui qui arrive en premier. En soi, ce n'est pas grave ; le problème, c'est que Totale fait la sieste en route.

Une fois chez Gunnar, je ne suis donc pas du tout étonné de découvrir que Totale est déjà absor-

bé par sa traditionnelle activité quand il parvient chez quelqu'un avant moi. En attendant que vous sachiez ce dont il s'agit, laissez-moi simplement préciser quelque chose : la première impression est souvent la meilleure dans notre milieu. Un client doit pouvoir juger au premier coup d'œil si son détective est : a) professionnel, b) classe et c) discret.

Et tout ceci est fortement compromis lorsque la première impression que le client se fait de son détective est la suivante :

J'ai fait tellement de leçons de morale à Totale sur sa manie d'écumer les poubelles des clients que je finis par croire qu'il cherche délibérément à nuire à l'agence. Heureusement pour moi, au moment où je frappe enfin à la porte de Gunnar, Totale a terminé de dévorer tout ce qu'il y avait de comestible dans la poubelle et il réussit à me rejoindre juste à temps devant l'entrée.

Gunnar ouvre la porte et nous escorte jusqu'à la scène du crime. Il indique une table vide près de son lit.

— Ma citrouille en plastique remplie de bonbons était juste là, déclare-t-il, l'index pointé sur le dessus de la table. Elle a disparu.

J'examine l'endroit qu'il indique. À en juger par l'espace vide, je conclus que la citrouille a disparu.

Il se met à dresser la liste des bonbons que contenait la citrouille.

— Deux Mars, un Twix, sept MilkyWay, cinq Kit Kat, onze Carambar, cinq Snickers, un Malabar et huit Ferrero Rocher.

Gunnar lève la tête pour me fixer droit dans les yeux.

— T'as tout noté ?

— Évidemment que j'ai tout noté.

— Commençons par le commencement, dis-je au client. À savoir le paiement. J'accepte l'argent liquide, les chèques et les cartes de crédit.

En vérité, je ne prends pas les cartes de crédit mais ça sonne plus pro, alors je fais comme si.

— Combien ça va coûter ? veut savoir le client.

— Quatre dollars par jour, sans compter les frais supplémentaires.

— Les frais supplémentaires ?

— Beignets de poulet pour le gros bonhomme, réponds-je en pointant du doigt Totale.

L'intéressé pousse un rugissement plutôt impressionnant – jusqu'à ce qu'il tombe en arrière et s'écroule sur le bureau de Gunnar. Ça, ce sera

retenu sur son budget « beignets de poulet », vous pouvez me croire.

J'annonce à Gunnar que, d'après moi, l'enquête devrait durer six semaines. Avec beaucoup de témoins à interroger. Et peut-être un ou deux trajets en avion.

— Inutile de me raccompagner : je connais le chemin, conclus-je.

Dans le couloir, je passe devant la chambre de son frère Gabe. Il est assis sur son lit au milieu d'une pluie de papiers de bonbons. Son visage est barbouillé de chocolat. Par terre, une citrouille vide en plastique.

Toujours à l'affût d'indices pertinents, je prends cela en note dans mon carnet de détective.

CHAPITRE
3
L'empire Timmy contre-attaque

Tout ce qu'il me faut pour résoudre l'affaire Gunnar, c'est cinq minutes de tranquillité. Seulement, c'est impossible. À cause de cet homme :

C'est le Vieux Crocus : mon prof principal.

Il passe six heures par jour devant son cher tableau blanc pour me raconter des trucs qui feraient perdre d'ennui sa fourrure à un écureuil.

Écureuil dépoilé

Le Vieux Crocus a 187 ans. Il sent bizarre. Et il est tellement voûté qu'on croirait qu'il a un sac de patates accroché au front.

Sac de patates

Ce serait utile si je comptais faire des frites. Sauf que ce n'est pas le cas. Je bâtis un empire pour mon agence de détective. Et rien, en classe, ne va m'aider à y parvenir. Si ce n'est peut-être la carte du monde affichée au mur. Raison pour laquelle je l'ai détachée afin de marquer tous les territoires où j'ai l'intention d'implanter des bureaux Lalouse Totale d'ici cinq ans.

Un bon enseignant récompenserait une telle initiative. Mais pas le Vieux Crocus. Il dit plutôt :

— Quel prodige a encore accompli Capitaine Sans Cerveau aujourd'hui ?

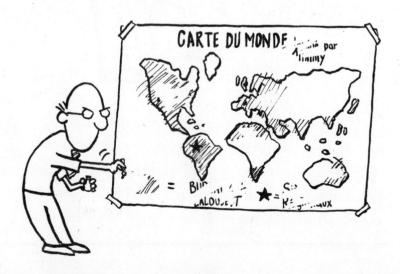

Puis il efface le fruit de mon dur labeur avec du Tipex.

Du coup, dans ma tête, j'efface le sien.

C'est un prêté pour un rendu. Mais lui ne voit pas ça de cette façon. Par conséquent, il approche mon bureau de ceux d'un trio d'intellos dans l'espoir qu'ils déteignent sur moi. Eux, c'est clair qu'ils espèrent que *je* déteigne sur *eux*.

Dans le groupe, une fille se prénomme Molly Moskins. C'est une vraie plaie. Elle a un sourire permanent plaqué en travers du visage. En plus, elle sent la mandarine.

Le garçon rondelet, c'est Rollo Tookus. On aura tout le temps de parler de lui plus tard.

Et la fille dont j'ai caché la tête est quelqu'un dont jamais, ô grand jamais, je ne discuterai. Il faudrait me passer sur le corps.

Bon, d'accord, parlons de Gros Bidon alors.

CHAPITRE
4
Je vous présente Rollo Tookus

Le premier truc que vous devriez savoir au sujet de Charles « Rollo » Tookus, c'est qu'il n'est pas malin. D'accord, il a 4,6 sur 5 de moyenne générale mais c'est uniquement parce qu'il étudie. Avec acharnement.

Havar

ROLLO TOOKUS

Si je travaillais, *moi* aussi j'aurais une moyenne de 4,6 au lieu de celle que j'ai actuellement, à savoir 0,6 (en arrondissant au-dessus). Pourquoi Rollo étudie-t-il autant est un mystère pour tout le monde sauf lui.

Si vous lui posez la question, il se lancera dans une explication sans fin censée démontrer que s'il étudie beaucoup, il aura de bonnes notes, et que s'il a de bonnes notes, il pourra entrer un jour dans une université appelée Havar[1], et que s'il entre à Havar, il pourra décrocher un bon emploi et gagner plein d'argent. En langage de détective, il y a un mot pour ça :

BARBANT

D'ailleurs, ça me fait penser à un autre des principes fondateurs de Lalouse, Inc. Celui-là, je l'ai gravé sur la semelle de ma chaussure droite pour ne jamais l'oublier :

J'aurais de la peine pour le pauvre gosse si un de ses parents le *forçait* à faire tout ça, seulement,

1. Allusion détournée à la prestigieuse université Harvard.

ce n'est pas du tout le cas. C'est son *choix*. Ce qui prouve bien qu'il n'est pas malin.

Donc, la moindre des choses que je puisse faire, c'est le soutenir. Essayer de ne pas critiquer ses défauts, ce qui est parfois compliqué quand je passe du temps avec lui, assis, les pieds sur son bureau.

Me détendre dans la chambre de Rollo à la fin d'une longue journée à l'agence est une des manières dont je lui apporte mon soutien. Je lui raconte les affaires sur lesquelles je travaille pendant qu'il étudie. Ça doit être fascinant pour lui d'écouter mes histoires. N'oublions pas qu'il est évident que Rollo deviendrait détective s'il le pouvait. Hélas, il n'est pas outillé pour le métier. Néanmoins, ça ne l'empêche pas de formuler des commentaires peu professionnels au sujet de mes dossiers en cours, ce qui peut se révéler passablement irritant.

Aujourd'hui, par exemple. J'ai abordé la question de l'affaire Gunnar et mentionné Gabe, son petit frère cochon, quand soudain, Rollo a sorti un des commentaires les plus débiles qu'il ait jamais formulés à propos d'une de mes enquêtes. Le voici :

— Et si c'était Gabe qui avait mangé les bonbons ?

J'vous avais dit que ce n'était pas une lumière.

CHAPITRE
5
Des problèmes au bureau

Deuxième jour d'enquête sur le dossier Gunnar et toujours aucune piste. La tension monte au bureau. Totale et moi, on sait que la meilleure stratégie dans ce genre de situations est de ne pas se marcher sur les pieds. Plus facile à dire qu'à faire sachant que notre bureau est situé dans le placard de ma mère.

Quartier Général

On serait drôlement moins à l'étroit si ma mère se débarrassait de tous ses vêtements. La semaine dernière, j'avais programmé une visioconférence avec elle à l'heure du dîner afin d'aborder la question. Voilà comment notre entretien s'est déroulé :

C'est comme ça dans le monde des affaires. On essaie de trouver un compromis mais les autres parties vous compliquent parfois la tâche.

Selon moi, c'est parce qu'elle est stressée. Je ne sais pas trop pourquoi. Mais c'est certain qu'il y a un truc car après notre visioconférence, l'autre soir, elle est allée faire une balade en Segway autour du pâté de maisons. C'est sa façon à elle de décompresser.

— Ce truc me sauve la vie, a-t-elle déclaré une fois, alors qu'elle me dépassait à vive allure sur son engin. Sans lui, je ne sais pas ce que je ferais.

Et ceci, mes amis, est la raison pour laquelle je ne lui avoue pas qu'il sert de Lousomobile aussi.

Seulement, pour l'instant, j'ai des dossiers à traiter. Et l'exiguïté de mon bureau est un problème auquel je dois remédier. J'ai donc demandé à Totale de se renseigner sur la possibilité d'intenter une action en justice contre ma mère. Je lui ai même fourni des bouquins de droit. Jusqu'ici, voilà ce qu'il en a fait :

Bien que le problème de place soit pénible, c'est une simple question de temps avant que les choses s'arrangent. En effet, j'ai jeté mon dévolu sur le dernier étage d'une nouvelle tour dans le centre-ville.

D'après l'annonce dans le journal, le loyer mensuel s'élève à 54 000 dollars. C'est pas donné mais, si l'affaire Gunnar se passe bien, ce sera aussi peu de chose qu'une goutte d'eau dans l'océan.

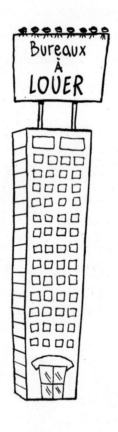

Ainsi va la vie dans le milieu des détectives. Vous réglez une enquête importante. La nouvelle se propage. Et là, bingo ! Vous empochez le jackpot. Mais en attendant, l'agence devra continuer à opérer au milieu de la garde-robe de ma mère. Soyons honnêtes, le loyer est raisonnable (il s'élève actuellement à 0,00 dollar) et la seule interdiction de la propriétaire est de ne pas toucher à ses vêtements.

Ce qui ne devrait pas poser de souci.

Enfin, je parle pour moi.

CHAPITRE
6
C'est pas moi, Gabe

L'affaire Gunnar étant au point mort, je décide de faire plaisir à Rollo Tookus en prenant la déposition de Gabe, alias le cochon.

— Où étais-tu le soir de la disparition des bonbons de ton frère ?

— Dans ma chambre.

— Que faisais-tu ?

— Je mangeais.

— Que mangeais-tu ?

— Des bonbons.

C'est alors que j'apprécie pleinement la portée de ses paroles.

Je décide de coucher mes conclusions par écrit dans mon carnet de détective.

CHAPITRE
7

La dame au regard de cocker de la récré du midi

La récréation du midi est la seule occasion que j'ai de me consacrer à la stratégie de développement mondial de l'agence. Alors je me mets à l'écart, l'objectif étant de m'assurer que les autres, à l'école, n'ont pas accès à mon travail et ne risquent pas de commettre un acte d'espionnage industriel.

Cela dit, ça fait pitié à voir : je me retrouve assis seul à réfléchir tandis que mon associé gémit derrière une clôture grillagée.

Parce qu'il n'a pas le droit de rentrer dans l'enceinte de l'école, il est contraint d'attendre là, debout, jusqu'à la fin des cours, que je le ramène à la maison. Il en parle rarement ; cependant, je

sais qu'il trouve ça discriminatoire. Pour protester contre la politique de l'école, je lui accroche parfois une pancarte.

Après manger, on a un quart d'heure de temps libre. La majorité des élèves jouent au football pendant que, par terre, près du grillage, je caresse Totale.

Pas la peine de me poser des questions au sujet de la fille dont j'ai noirci le visage sur l'illustration : c'est la même que tout à l'heure et je n'ai toujours pas envie d'en parler. Ce que j'évoquerai en revanche c'est le fait que mon retrait, au fond de la cour de l'école, est dur pour les autres enfants.

Dur car j'ai la cote et qu'ils veulent passer du temps avec moi mais ils n'en ont pas la possibilité étant donné qu'ils se méfient de mon associé. Bon réflexe de leur part : c'est plus prudent. Les ours polaires sont féroces et imprévisibles. En outre, ils sont toujours à la recherche de phoques, ce à quoi un élève emmitouflé dans ses vêtements d'hiver peut facilement ressembler.

Comment les différencier ?

La seule personne qui ne redoute pas Totale, c'est la pionne, Dondi Sweetwater. Elle est plutôt gentille mais qu'est-ce qu'elle est bavarde ! En plus, elle ne se rend absolument pas compte des contraintes auxquelles je suis soumis à l'agence.

Totale, à l'inverse, ne tarit pas d'éloges sur elle. Tout ça parce qu'elle me donne sans arrêt des carrés de céréales Rice Krispies que je lui refile ensuite.

Totale en est dingue ; ça pose un réel problème sachant qu'un jour, s'il est capturé, quelqu'un pourrait essayer de lui soutirer des renseignements confidentiels en échange d'une barre de céréales. Allez savoir comment ce gros ours réagirait !

C'est pour cette raison que j'ai demandé à Dondi de ne jamais évoquer le point faible de Totale avec quiconque en dehors de l'agence. Je l'ai également priée de ne jamais prononcer tout haut les mots « Carrés Rice Krispies » mais d'y faire référence en parlant de « petites douceurs ». Elle s'est pliée à toutes mes exigences et, à ma requête, s'y est d'ailleurs engagée par écrit.

J'ai dû la forcer à signer cette déclaration sur l'honneur parce que la pauvre femme a la langue archipendue. Surtout avec moi. C'est pour ça qu'on passe les récrés ensemble. Mais ce n'est pas grave.

Ça fait partie du jeu quand on est populaire.

CHAPITRE
8
Il était une fois sur la banquise

À la maison, ce soir-là, mon intuition de détective me dit que quelque chose cloche. J'ai vu ma mère passer huit fois devant chez nous sur son Segway.

Le record précédent s'élevant à six, j'en déduis que c'est sérieux.

Le soir, je l'informe qu'elle n'a pas besoin de me lire une histoire au lit comme d'habitude. Pourtant, elle insiste. Ma mère, on peut toujours compter sur elle.

Bon, personnellement, si je pouvais choisir, je lui demanderais de me faire la lecture de revues professionnelles tous les soirs afin que je me tienne au courant des dernières avancées dans le domaine de la technologie détective. Mais un certain grand dadais poilu prétend que c'est rasoir.

Le genre d'histoires que mon associé affectionne particulièrement n'est pas évident à trouver dans la plupart des chaînes de librairies. Alors, pour le satisfaire, je suis obligé d'écrire moi-même les histoires avant de les donner à lire à ma mère. Je vais jusqu'à les illustrer. Voici la façon dont elles démarrent toutes :

Elles doivent également se terminer de la même et unique façon, sinon ça l'énerve et il est incapable de s'endormir après.

Une fois sa lecture terminée, ma mère éteint la lumière et dépose un baiser sur mon nez. Je remonte les couvertures jusqu'à mon menton avant de jeter un coup d'œil à mon associé.

L'histoire lui a plu.

CHAPITRE
9
Intermède sumo

Le lendemain, je me lève de bonne heure et en pleine forme. Puis je me cache derrière un arbre, vêtu d'un costume de sumo.

J'attends une fille d'un mètre vingt dont je ne peux prononcer le nom. Lorsqu'elle passera, je lui foncerai dedans. Avec un peu de chance, je la ferai rouler jusqu'au caniveau.

caniveau

Ça n'a rien de personnel.

C'est professionnel. Et non, je ne souhaite pas entrer dans les détails.

CHAPITRE
10
Les problèmes au bureau continuent

Je demande à mon associé de me rendre un service pendant mon absence : répondre au téléphone. Et voilà que je le retrouve, le cordon enroulé autour du cou et le combiné arraché du mur.

C'est dans des moments pareils que je m'interroge sur son degré d'engagement envers la société. Et comme si ça ne suffisait pas, je trouve un mot de ma mère sur la porte du bureau. Je devine qu'elle a senti le succès grandissant de l'agence et sa fortune croissante, et qu'elle souhaite donc qu'on l'embauche. Eh bien, non, même pas.

C'est ça le truc avec ma mère. Elle préfère que je perde mon temps toute une journée en cours plutôt que de passer l'après-midi en filature dans un déguisement de sumo. Je ne crois pas qu'elle soit malavisée ; d'après moi, c'est le stress. Elle travaille à temps plein dans un magasin de fournitures de bureau et ça ne paie pas beaucoup, donc elle s'inquiète. J'ai l'impression que c'est en partie ce qui la tracasse ces derniers temps.

Heureusement pour elle, elle a donné naissance à un génie. Un génie qui un jour sauvera tout le clan Lalouse (elle, moi et même l'ours polaire, bien qu'il ne mérite pas son salut).

Sauf que pour arriver à mes fins en créant une agence de détective multimilliardaire, j'ai besoin d'une chose : que ma mère me dispense de toutes les distractions inutiles dans lesquelles je sacrifie mon temps précieux.

Je veux parler de l'école. Et sur ce point, elle n'assure pas du tout.

J'ai réclamé une visioconférence afin d'aborder ce problème ainsi qu'un autre, mais il faut toujours qu'elle reporte. Pour le moment, je n'insiste pas trop mais je m'attends à ce que le sujet vienne sur le tapis à son entretien de fin d'année. C'est la réunion annuelle lors de laquelle je récapitule ses forces et ses faiblesses en tant que mère. La manière dont elle s'entête avec toute cette histoire d'école va sans nul doute nuire à son évaluation globale. Pourtant, ce ne sera pas le pire bilan, cette année.

Le pire sera celui de cet individu :

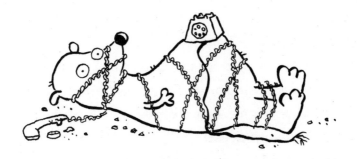

CHAPITRE
11
Interro

Aujourd'hui, il y a interro. C'est un QCM, donc on a tous reçu un carton standard débile, sur lequel on doit entourer les lettres de A à E pour indiquer nos réponses. Je me sers des colonnes de lettres pour dessiner une forme. La dernière fois, c'était une chaîne de montagnes.

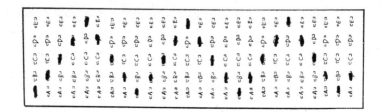

Je compte consacrer le temps qu'il me reste à mes dossiers en cours. Quand le Vieux Crocus déclare brusquement qu'il a une annonce à faire.

— Pour l'interrogation d'aujourd'hui, vous travaillerez en groupes.

Rollo Tookus ouvre de grands yeux.

— Chaque groupe rendra un devoir unique et recevra une note commune.

Rollo pousse un halètement.

— Les camarades qui sont assis près de vous constitueront votre groupe.

Rollo pose les yeux sur moi. Et s'évanouit aussitôt.

Je ne prête pas attention à Rollo car je suis concentré sur la manière de rassembler mes forces face à Celle-dont-le-nom-ne-peut-être-cité. J'exprime ainsi mon opinion dans le plus grand respect.

Rollo, par terre, gémit. Le Vieux Crocus me crie de descendre tout de suite du bureau. Molly Moskins frappe des mains. Elle réagit toujours de cette façon quand elle est en groupe avec moi.

Parce qu'elle applaudit, des effluves de mandarine se propagent dans la salle. Très vite, on sent tous la Famille Mandarine.

· LA FAMILLE MANDARINE ·

Le Vieux Crocus, agacé, ferme les yeux. Il serre ses dents en bois usées.

Il a une bonne tête de mandarine en colère.

CHAPITRE 12

Mort de hamster

Le truc dans mon métier, c'est que les affaires continuent de s'amasser sans attendre que vous ayez résolu celles en cours, notamment celle de la mystérieuse disparition des bonbons de Gunnar.

Il faut continuer à enquêter. Impossible de se cacher en boule dans un coin et de tout plaquer.

Ce qui est exactement le point où le hamster de Max Hodges semble être rendu.

— Je l'ai trouvé dans cette position en me levant ce matin, m'explique Max alors que je me tiens debout dans sa chambre. C'est pour ça que je t'ai appelé : pour élucider le mystère des circonstances de sa mort.

Ensemble, on fixe sans bouger le hamster figé dans sa cage.

— Comment sais-tu qu'il n'est pas en vie ? l'interrogé-je.

— Ben... (Il me tend une photo.) Parce qu'en vie, il ressemble à ça.

Ce qui n'a plus rien à voir avec ce dont il a l'air en ce moment.

Je pose donc à Max la question qui s'impose. Le genre de choses que même un détective amateur pense à demander dans un cas de décès de hamster.

— Avait-il des ennemis ?

Max répond que non.

— Avait-il beaucoup d'argent ?

Non.

— Était-il déprimé ?

Non.

— Impliqué dans des affaires criminelles ?

Non.

Quand il y a crime, les témoins ont tendance à perdre leur langue. Dans pareilles situations, si vous êtes un détective, il est donc primordial de faire pression sur le témoin.

— Pas impliqué dans des activités criminelles, répété-je sur un ton sarcastique. Alors de quoi s'agit-il ?

Du doigt, j'indique le tuyau du réservoir d'eau du hamster sur lequel un nom semble être gravé.

— C'est moi qui ai écrit mon nom, prétend Max.

— Ça m'a tout l'air d'être un graffiti de hamster.

— Mais non.

Je prends le tuyau pour le glisser dans ma poche.

— Pièce à conviction, justifié-je.

Je me dirige vers la porte mais, lorsque je tourne la poignée, elle ne bouge pas. Je m'accroupis au maximum, persuadé qu'il s'agit d'une embuscade. C'est alors que j'aperçois Totale, étendu de l'autre côté. Il est tellement gros qu'il bloque le passage.

Le poing serré, je donne un coup sur la fenêtre jusqu'à ce qu'il se réveille et bouge, puis je rejoins le trottoir où m'attend la Lousomobile que j'enfourche dans la foulée.

Celle que ma mère chérit.

Celle qu'elle m'a interdit d'utiliser.

Celle qui a disparu.

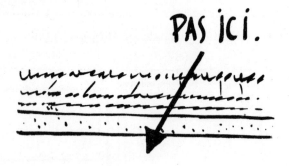

Je marque une pause, le temps de rédiger une observation dans mon carnet de détective.

CHAPITRE
13
Le minicerle professionnel assiégé

Difficile de se concentrer sur un cas de sabotage industriel lorsqu'on assiste à une réunion parents/professeurs. Ce que je sais avec certitude, par contre, c'est que quelqu'un, quelque part, voulait mettre un terme à Lalouse Totale, Inc. Le nombre croissant de nos affaires représentait un danger trop important. Alors, pour nous court-circuiter, il s'est emparé de mon moyen de transport.

Le réflexe normal serait de sécuriser le périmètre autour du quartier et de commencer à interroger les témoins. Sauf que je ne peux pas. Rapport aux deux amateurs n'ayant jamais eu leur propre société qui m'en empêchent.

À ma gauche, ma mère qui m'a ordonné de monter en voiture à la seconde où je suis rentré de chez Max Hodges. À ma gauche, le Vieux Crocus. Il me me rebat les oreilles, et moi, tout ce à quoi je pense, c'est qu'il aurait dû prendre sa retraite il y a bien longtemps.

Si je dis ça, c'est parce que pour la première fois en 150 ans de carrière, il est confronté à la très grande probabilité de ne pas voir tous ses élèves passer dans la classe supérieure.

Je suppose que l'heure est venue de vous parler de l'élève qui se cache derrière cette menace.

Saluuuut

C'est dans des moments pareils que je compte patiemment sur ma mère pour m'impressionner avec une tactique de défense pleine d'entrain envers son fils. En jetant en l'air une pile de feuilles. En renversant une chaise d'un coup de pied. Ou en déclenchant un incendie par exemple.

↖ Signé :
une sacrée
mère

Toutefois, en guise de réponse, elle hoche simplement la tête.

Pour une femme qui un jour me suppliera de l'engager, elle a zéro chance de m'impressionner.

Ainsi, pour l'instant, je ne peux compter que sur mon associé, que j'ai chargé d'une mission de reconnaissance en mon absence ; il doit passer au peigne fin la scène du crime et récolter des informations le plus discrètement possible pour ne pas attirer les soupçons.

On est loin de la situation dans laquelle je le surprends à mon retour à la maison :

CHAPITRE
14
Secouez-moi

J'arpente la chambre de Rollo Tookus en long, en large et en travers comme si j'étais possédé. Car lorsqu'on est détective, on ne peut pas être la victime d'un crime non résolu. Ça revient à exercer la profession de dentiste avec des dents en moins. Ou celle de jardinier avec des fleurs mortes. Or, la mort, c'est ce qui m'attend si ma mère découvre que la Lousomobile a disparu.

Par conséquent, j'élabore un plan pour qu'elle n'en sache rien. Sur le papier, ça donne :

Néanmoins, je n'arrive pas à me concentrer à cause de la tête de Rollo qui s'agite dans tous les sens comme ces chiens sur les plages arrière des voitures. C'est toujours la même histoire, les veilles d'interro.

ROLLORANGINA AVANT INTERRO : SECOUEZ-MOI !

Ce soir, il est d'autant plus nerveux qu'il n'a pas réussi la dernière interro. L'interro collective. Tout ça parce qu'une personne du groupe a rendu le carton de réponses dans cet état :

C'était plus fort que moi.

Quitte à me retrouver dans le même groupe que Vous-savez-qui par la faute du Vieux Crocus, il ne me restait pas d'autre choix que de me jeter sur l'engrenage pour l'enrayer.

Évidemment, Rollo ne voit pas ça de cette façon. Il a une vision tellement étriquée de la réalité. Pas moi. Je vois grand. Et je sais que parfois, il faut sacrifier une personne pour le bien d'un groupe entier.

Un jour, il me remerciera. Mais pas ce soir. Ce soir, la tête du pauvre garçon se secoue comme la queue d'un serpent à sonnettes en train de siroter un expresso.

Ce qui me fait penser…

Il faudrait que j'essaie d'attacher à la tête de Rollo une des briques du jus d'orange que je bois le matin. Dessus, ça dit : BIEN SECOUER AVANT DE SERVIR.

Ça ressemblerait à ça :

C'est la raison pour laquelle je ne m'inquiète pas que ma chance de détective tourne.

Je pourrai toujours devenir inventeur.

CHAPITRE
15

N'étranglez pas
le détective svp !

« Les actes inhumains d'un homme envers un autre sont difficiles à supporter. »
Timmy Lalouse

Il faut que je reprenne le travail. Je choisis donc un nouveau moyen de transport que j'appelle Totomobile.

Mon associé soutient que c'est exigeant comme travail. Moi, je suis d'avis qu'il a de la chance de ne pas être au chômage.

J'ai écrit « Génialité » sur le côté pour que les passants sachent à quel point nous sommes géniaux.

Seulement, ce génie ne suffit pas à me préparer à ce que j'allais découvrir à la résidence Weber.

Devant moi, aujourd'hui, une scène de dévastation totale. Le paysage est entièrement gâché par les vestiges d'un acte de barbarisme. L'acte d'une personne déterminée. Quelqu'un dont l'arme de prédilection est vendue en paquet de six, douze ou vingt. Âmes sensibles, s'abstenir de regarder.

Du papier toilette. Il y en a partout.

Et la plupart pend depuis la cime des arbres, ce qui me laisse penser que ces criminels étaient de bons grimpeurs. Voilà un indice majeur que je prends en note dans mon carnet.

Je frappe à la porte des Webber. C'est Jimmy qui répond. Il a mon âge et va dans la même école que moi.

— Ta famille tient le coup ?

— Ça va, répond Jimmy. Ce n'est pas la première fois qu'on est victimes d'une attaque de PQ.

— PQ, répété-je pour moi-même.

J'ouvre mon carnet à une autre page pour inscrire :

Je demande à Jimmy la liste exhaustive de ses ennemis.

— Mes ennemis ? Je n'en ai pas.

— On en a tous, lui assuré-je.

— Non, c'est vrai, je suis ami avec tout le monde. Les élèves de ma classe. Les joueurs de mon équipe de football. Les autres journalistes de la feuille de chou du collège.

Bingo.

— Il me faut un récapitulatif de tous les articles que tu as rédigés.

— Les articles ?

— Pour le journal, précisé-je.

— Oh, je n'écris pas vraiment d'articles ; je communique simplement le menu de la cantine pour la semaine. En quoi c'est important ?

Je secoue la tête avec incrédulité. Mais il faut que je me souvienne que n'est pas détective qui veut.

— Écoute-moi bien, gamin. Quelqu'un, quelque part, ne tient pas à ce que ces informations soient divulguées.

— Qui ?

Je pointe de l'index les bandes de papier toilette.

— Quelqu'un qui tient à ce qu'on le prenne au sérieux.

Je m'approche pour lui tendre ma carte de visite.

— Hé, Timmy, merci mais je n'ai plus besoin de ton aide.

— De quoi tu parles ? Tu as composé mon numéro d'urgence.

— Ouais, ça fait déjà une heure. Tu en as mis du temps.

Il avait raison. J'étais en retard. Totale s'était endormi devant la porte de ma chambre, m'empêchant de sortir. Quel manque de professionnalisme de sa part !

— Eh bien, je suis là maintenant et je suis sur le coup.

— Désolé... j'ai engagé un autre privé, m'informe-t-il. C'est...

Tais-toi. Ne prononce pas son nom. Ne prononce pas son nom. Ne prononce pas son nom. Ne prononce pas son nom. Ne prononce pas son nom. Ne prononce pas son nom. Ne prononce pas son nom.

— Corrina Corrina.

Il a prononcé son nom.

CHAPITRE
16

Le chapitre que j'espérais éviter.
Celui sur la bête.

Certains méchants ont le physique de Gengis Khan.

D'autres ont un faux air d'Attila le Hun.

D'autres, encore, ont cette tête-là :

Je n'ai vraiment aucune envie de perdre plus de temps qu'il ne faut à parler de la Réserve Mondiale de Méchanceté. D'abord, parce que je ne passe pas la moindre seconde à penser à elle. Ensuite, parce que je la déteste. *Dé-tes-te.*

Donc, soyons brefs : la Bête est propriétaire d'une agence de détective, la CCIA qui, selon elle, est le sigle de *Corrina Corrina Intelligence Agency*. Moi je dis que c'est le sigle de Corrina Corrina Imbécile Absolue.

C'est la pire agence de détective de la ville, et probablement, même, de l'État. Allez, du pays tout entier, tant qu'on y est. Hélas, les gens se font berner quand ils voient le bureau dans le centre-ville que son père, un magnat de l'immobilier, la laisse utiliser. C'est une ancienne banque. Il y a des piliers et des sols en marbre, ainsi qu'un immense coffre-fort.

Ça ressemble à ça :

Vous constaterez par vous-mêmes que c'est pathétique. Et pour mes confrères et moi, c'est un signe patent d'amateurisme. Mais la chose la plus stupide et la plus non professionnelle dans tout ça, c'est que le bureau est situé au rez-de-chaussée. Autrement dit, quand j'emménagerai au dernier étage de ma tour, en plein centre, je pourrai lui jeter des trucs par la fenêtre.

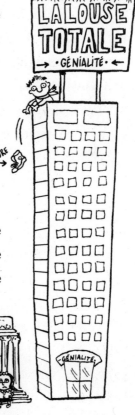

Pour aggraver encore le ridicule de la situation, la pauvre malheureuse possède un énorme stock d'équipement de surveillance dernier cri, entièrement fourni par son père : appareils photo avec des zooms télescopiques, jumelles hyper puissantes, micros miniatures. J'en passe.

Bon, ça vous impressionne peut-être mais, croyez-moi, pour quelqu'un qui a un peu de bouteille dans le métier, ça n'évoque qu'une chose :

ELLE EN A BIEN BESOIN.

Les véritables détectives, eux, remplissent leurs missions de surveillance à l'ancienne : avec uniquement leurs deux yeux. Et depuis des cachettes en tous genres : des paniers à linge sale, par exemple. Ce qui peut poser problème lorsque votre mère décide de faire la lessive un jour plus tôt que prévu.

TIMMY, RAPPORTE MON LINGE À L'INTÉRIEUR TOUT DE SUITE.

CHAPITRE 17

Des changements dans l'air

Si vous devez retenir un seul truc de ce chapitre, que ce soit celui-là : Timmy Lalouse ne perd aucun client au profit de Corrina Corrina.

Son comportement lorsqu'elle m'a volé le dossier Weber va complètement à l'encontre de l'éthique, de la loi et de la morale. Par conséquent, j'ai déposé une plainte au Comité d'Enquête sur les Enquêteurs. Je n'en suis pas à ma première plainte contre elle mais à la 147e.

Vu que je n'ai pas d'ordinateur ni de machine à écrire, je suis contraint de rédiger mes plaintes à la main sur des feuilles de papier. En voici une datant du mois dernier :

> PLAINTE
>
> Corrina Corrina nuit à mon entreprise et devrait être incarcérée dans une prison d'État.

Celle-là, je l'ai déposée la semaine d'après :

Je n'ai aucune idée d'où se trouve le Turkménistan ; ça m'a juste paru être très, très loin.

Parfois, mes plaintes, plus brèves, vont droit au but.

Tandis que d'autres réclamations servent davantage de relance :

En attendant le traitement de ces litiges, j'ai décidé d'apporter deux changements majeurs à l'agence. Primo, j'ai acheté un chapeau.

S'il vous plaît, ne me demandez pas pourquoi c'est écrit BISCUITS. Je n'en ai aucune idée. Peut-être que le type à qui il appartenait avant vendait des biscuits. L'important, c'est qu'il me donne l'air plus professionnel.

Secundo, le changement le plus substantiel : je distribue du fromage gratuitement.

Pour l'instant, les affaires roulent très bien. En tout cas, question fromage gratuit.

Bien que tout le monde ne cesse de me poser la même question.

CHAPITRE
18
Je compte sur mon comptable

Je suis assis dans ma chambre. Ordre de ma mère. Demain, j'ai deux dictées et elle veut que je révise.

Seulement, c'est impossible. À cause de la Lousomobile.

Hier, ma mère a annoncé qu'elle allait au garage la chercher pour faire le tour du pâté de maisons. J'ai tenté de l'en dissuader sous prétexte qu'il y a des araignées dans le garage.

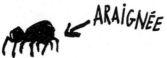

Elle m'a répondu qu'elle n'avait pas peur des araignées.

J'ai renchéri en expliquant que je ne pensais pas à des *araignées* mais à des *anacondas géants*.

La conversation s'est arrêtée là et maman n'en a plus reparlé ensuite. Pour autant, je ne vais pas pouvoir continuer à mentionner des reptiles amazoniens indéfiniment : elle va finir par se douter de quelque chose. Et avant que cela se produise, il faut que je récupère la Lousomobile. Je suis donc

MÈRES,
PRENEZ GARDE.

obligé de consacrer tous mes efforts et toutes mes ressources à mes recherches. Les ressources que Lalouse Totale, Inc. a ou non. Je ressors ainsi les livres de comptes des six derniers mois.

La comptabilité est une des tâches que j'ai confiées à Totale quand il est entré à l'agence. Je lui ai fait confiance parce que : a) je n'avais pas le temps de m'en charger moi-même et b) il m'a assuré qu'il avait de l'expérience dans le domaine.

Je m'attendais ainsi à ce que les livres de compte indiquent le revenu brut et les dépenses de Lalouse Totale, Inc. pour l'année fiscale en cours, le tout répertorié proprement dans un tableau d'additions et de soustractions comme celui-ci :

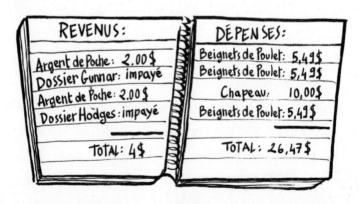

REVENUS :	DÉPENSES :
Argent de Poche : 2,00 $	Beignets de Poulet : 5,49 $
Dossier Gunnar : impayé	Beignets de Poulet : 5,49 $
Argent de Poche : 2,00 $	Chapeau : 10,00 $
Dossier Hodges : impayé	Beignets de Poulet : 5,49 $
TOTAL : 4 $	TOTAL : 26,47 $

Sauf que les livres de comptes ressemblaient plutôt à ça :

Je pars à la recherche de mon comptable.
Et le trouve assis sur une bouche d'aération.
En train de manger le fromage gratuit.

Je programme une visioconférence avec ma mère.

CHAPITRE
19
On me souffle la réponse à l'oreille

— J'ai besoin d'un assistant administratif, lancé-je à ma mère.

Elle est installée à la table de la cuisine, recouverte de factures.

— Si tu veux que j'aille à l'école *et* que je dirige l'agence, il n'y a pas d'autre solution.

Elle ne répond rien, donc je repose la question.

— Bon, si tu m'avances simplement les fonds moyennant un taux d'intérêt raisonnable, je peux embaucher un assistant digne de ce nom.

Elle tourne la tête vers moi.

— Timmy, à la papeterie, ils ont réduit mon volume horaire de travail, donc pour l'instant, je suis un peu à court de « fonds », comme tu dis.

Je fixe la pile de papiers en désordre sur la table et prends un des relevés de cartes de crédit. En grands caractères gras, il est écrit :

MONTANT TOTAL DÛ : 1 485,23 $

— C'est tout ? demandé-je en présentant la facture.

— Comment ça ?

— Ce montant. C'est insignifiant.

Je rassemble une facture de téléphone, une facture d'électricité et une feuille d'honoraires de médecin.

— Avec la somme d'argent que Lalouse Totale, Inc. va empocher d'ici la fin de l'année fiscale, je devrais presque pouvoir payer ces trucs comptant.

Elle pose une joue sur le haut de mon crâne.

— Bien sûr, ce sera un prêt, lui expliqué-je. Timmy Lalouse ne fait pas la charité.

Elle enroule ses bras autour de moi pour me serrer contre elle.

— Mais lorsque l'agence gagnera en envergure, on aura vraisemblablement un poste pour toi et on déduira le remboursement de ta paie.

Elle souffle très fort dans mon oreille. Elle fait ça de temps en temps pour que je rigole.

— Un peu de professionnalisme, la rabroué-je.

Elle arrête aussitôt. Mais alors, je réclame :

— Encore.

CHAPITRE
20
Pas né de la dernière pluie

J'escalade la commode de Rollo Tookus afin d'illustrer la manière dont les singes ont enroulé l'arbre des Weber de papier toilette.

C'est tout juste s'il ne m'ignore pas.

— Désolé mais notre interro d'anglais est dans quatre jours. Je n'arrive pas à me concentrer.

Alors, je lui parle de M. Garbanzo.

— C'est qui, M. Garbanzo ?

— La nouvelle mascotte de l'agence. Je l'ai fabriqué avec des vieux vêtements et un sac en papier que j'ai bourrés de journaux.

Je lui montre la photo que je garde dans ma poche.

— Quel intérêt ? soulève Rollo.

— Il est censé représenter le génie de l'agence. L'idée, c'est d'intimider l'idiot qui a volé la Lousomobile. Lui faire suffisamment peur pour qu'il la rende. Je compte l'installer sur la pelouse devant chez nous avec une méga pancarte qui dit : M. GARBANZO VOIT TOUT.

— Ça ne rime à rien.

— C'est toi qui ne rimes à rien : tu n'es pas concentré, rétorqué-je. En plus, la communication et toi, ça fait deux.

— Pourquoi tu l'as baptisé M. Garbanzo ?

— Parce que *garbanzo*, ça veut dire grand.

— Tu confonds avec *giganto*. *Garbanzo*, ça veut dire pois chiche.

C'est le problème avec les mecs tels que Rollo Tookus. Ils croient tout savoir mais ils se trompent.

— Bref, il faut que j'étudie, reprend Rollo. J'ai cours avec mon prof particulier dans une demi-heure.

Le moment est bien choisi, je crois, pour vous confier la façon dont une mouche est tombée dans la soupe de l'histoire de mon amitié avec Rollo Tookus. Disons que ce n'est pas une petite mouche mais plutôt une mouche éléphantesque.

Et ça ressemble à cela :

Vous avez bien vu : le prof particulier de Rollo Tookus n'est autre que la Bête. Et je ne voudrais pas raviver les innombrables disputes ayant été causées, donc je me contenterais de résumer nos positions respectives.

Position de Rollo : Corrina Corrina est vraiment intelligente et elle l'aide à avoir plus de A.

Position de Timmy : Rollo est un vilain traître débile.

En toute honnêteté, je préciserais que lorsque

Rollo est près de moi, il évite de prononcer son nom. Il parle simplement de son « prof particulier ». Et il m'avertit trèèès tôt avant qu'elle arrive afin que je ne me retrouve pas dans la même pièce qu'une consœur manquant à ce point d'éthique au travail.

— Bon, Rollo, je file. Mais rends-moi service : garde l'œil ouvert pour ce qui est des indices. Je soupçonne ton prof particulier d'être coupable d'un vol prémédité.

— De quoi tu parles ?

— Je crois qu'elle a volé la Lousomobile.

Rollo referme son livre et me fixe droit dans les yeux.

— Son père est riche, Timmy. Je doute qu'elle ait besoin de ta Lousomobile.

— Rien à voir avec ce dont *elle* a besoin, Rollo ! Mais avec ce dont *j'ai* besoin. À savoir, la Lousomobile ! Tu n'es pas capable de reconnaître du sabotage industriel quand tu en vois ?

— Écoute, Timmy. Il faut vraiment que je révise. Si tu es si persuadé que c'est elle qui l'a prise, pourquoi tu ne te pointes pas sans prévenir à la banque où se trouve son bureau ? Tu verras si la Lousomobile y est.

J'admets que c'est le seul conseil décent que Rollo m'ait jamais donné et je mets donc une pièce de 25 cents dans son pot à crayon avant de lui ébouriffer les cheveux.

Je sors de chez lui pour emprunter les rues jonchées de gravier et de boulettes de papier journal.

Beaucoup de boulettes.

Et dont la piste me mène jusqu'à la pelouse devant chez moi.

Jusqu'aux restes d'un invididu loin d'être aussi effrayant et *garbanzo* que je pensais.

CHAPITRE
21
Direction le centre-ville

Je me dirige vers le centre-ville pour une mission de reconnaissance sur le site du QG de la CCIA. Étant donné que je suis très connu et que je ne veux pas attirer les regards sur moi, j'y vais sous couverture.

Sous mon couvre-lit.

Néanmoins, je déteste rater une occasion de promouvoir mon entreprise et je décide donc d'utiliser l'arrière de ma couverture.

GÉNIALITÉ

Malheureusement, mon déguisement n'aide pas beaucoup et je suis pourchassé par des admirateurs.

T'as du fromage gratis ?

Enfin, ça ne me dérange pas. Ici, dans le centre-ville, je comprends.

Le monde a changé.

Il a changé car dans l'ombre des futurs locaux de Lalouse Totale, Inc., je vois ma destinée.

Une destinée sur laquelle aucun homme ne peut influer.

Je serai bientôt le futur dirigeant de la plus grande agence de détective privé au monde.

L'employeur multimilliardaire de milliers de personnes qui ont contribué à son succès en adhérant à un simple crédo : le génie.

Je suis un détective sans pareil. Un visionnaire qui ne connaît pas de limites. Un pionnier dont le seul défi aujourd'hui est de rester humble.

Donc, pour le moment, je marche avec modestie sur le trottoir jusqu'à la banque pathétique qui sert de QG à la CCIA afin de suivre le conseil de Rollo à propos de la Lousomobile. Un conseil qui va se révéler mauvais ; normal, Rollo Tookus a toujours tort.

Mais ce n'est pas grave.

Au moins, son conseil m'a conduit jusqu'ici.

Jusqu'à mon gratte-ciel de génie.

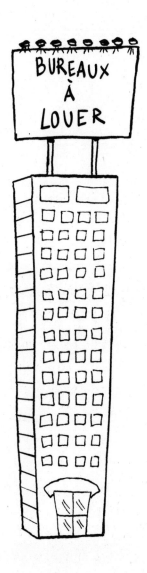

Qui se trouve être voisin de la banque.

Derrière laquelle je reconnais quelque chose de familier.

Le monde a changé, je vous dis.

CHAPITRE
22
Le bonheur n'est pas un bête champ de blé

Voici comment ce chapitre aurait dû se dérouler :

Timmy Lalouse court vers l'arrière du bâtiment. Il s'empare de la Lousomobile. Sa Méchanceté sort précipitamment de la banque par la porte de devant. Timmy l'agrippe par le col de son manteau de méchanceté.

— Je vous tiens, Votre Méchanceté.

Sa Méchanceté pousse un cri.

— Ça ne sert à rien de crier, proclame-t-il, car vous appartenez au passé. Même chose pour votre agence. De l'histoire ancienne. Tout est fini. Vous y compris.

La tête baissée, les poignets menottés dans son dos de méchanceté, Sa Méchanceté appelle Timmy alors qu'elle est escortée vers le fourgon de police.

— Que voulez-vous, Votre Méchanceté ? demande Timmy dans sa bonté.

— Vous dire quelque chose, répond-elle, bavant d'envie sur le côté de sa petite bouche triste.

— Parlez, ordonne Timmy.

— *Vous être le génie incarné.*

Seulement, ce chapitre ne se déroule pas ainsi. Voilà ce qui est vraiment arrivé :

En effet. La Poste m'a coupé dans mon élan en épinglant un des coins de ma couverture sous un pied de boîte aux lettres. Pourquoi ?

Un coup monté.

De qui ?

Son surnom rime avec Sa Maljesté.

Laissez-moi juste dire une chose : c'est une sombre journée dans l'histoire de l'humanité lorsqu'une entreprise publique, gérée par le peuple pour le peuple, décide d'attacher des concitoyens aux boîtes aux lettres.

Et pour m'attacher, ils m'ont bien attaché.

Pris au piège même.

Pendant vingt minutes, jusqu'à ce que je m'aperçoive que je pouvais retirer la couverture de sur ma tête.

Je me suis alors rendu compte que c'était trop tard :

La Lousomobile avait disparu.

Était là avant

Sans aucun doute chapardée par les mêmes fonctionnaires m'ayant attaché à la boîte aux lettres.

Eh bien, d'accord. Maintenant au moins, je sais à quoi m'en tenir. Moi contre Sa Maljesté et tous les gouvernements du monde. Intimidant pour la plupart des gens. Mais je ne suis pas n'importe qui. Je suis Timmy Lalouse. Et rien ni personne, gouvernement ou force de la nature, ne peut m'arrêter.

Sauf peut-être le froid, le soir, si j'oublie de rapporter ma couverture à la maison et que je ne peux pas compter sur un « ami » pour partager la sienne avec moi.

CHAPITRE 23

Le jugement dernier de Timmynator

Entouré de malades.

Enterré vivant.

Ici repose TIMMY le garçon au fromage qui n'avait jamais de biscuits

Occupé à faire des maths.

$$4840 \div 16 = \underline{\qquad}$$

Tels sont les trois supplices que je préférerais subir plutôt que celui auquel je suis confronté en ce moment.

À savoir dans le garage, près de la Femme Enragée qu'est ma mère.

— Où est-il, Timmy ? hurle-t-elle. Où est mon Segway ?

— Qu'est-ce que tu fabriques ici ?

— Je mets de l'ordre dans le garage, explique-t-elle. Et j'aimerais bien savoir où se trouve mon Segway !

— Pourquoi tu ranges le garage ?

— Timmy, dis-moi où est mon Segway !

Ma paupière gauche est prise d'un tic. Puis vient le tour de la droite. Un réflexe nerveux chez moi.

— Aucune idée.

Elle ne dit plus un mot.

Moi non plus.

C'est alors que je vois sa colère l'abandonner. Elle est remplacée par quelque chose de pire. Quelque chose contre quoi je ne peux rien.

Des larmes.

En désespoir de cause, je crie la première réplique qui vient à mon cerveau de génie.

— Molly Moskins l'a empruntée pour une pièce de théâtre !

Ce qui stupéfait ma mère *autant* que moi.

— Qui est Molly Moskins ? demande-t-elle en s'essuyant le coin de l'œil.

« Une plaie qui sent la mandarine », ai-je envie de dire.

Mandarine

Je m'abstiens. Et je réponds à la place :

— Une fille de ma classe. Elle monte une pièce de théâtre et le personnage principal se déplace en Segway. Ne me pose pas de questions. C'est sa pièce nulle à elle.

Ma mère marque une pause, sa frustration dissipée.

— Tu aurais pu me demander la permission de le prêter : il n'est pas à toi.

— Je sais. Il y a eu erreur.

— Bon, quand peut-elle le rendre ?

— La semaine prochaine, m'empressé-je de répliquer. Quand la pièce sera terminée.

Quel nigaud. J'aurais dû dire le mois prochain. Histoire de gagner du temps. Les larmes de ma mère m'ont embrouillé.

— Entendu. Mais il y a intérêt que je le récupère ce *jour-là*.

D'un pas nonchalant pour tenter de dissiper tout soupçon, je quitte le garage. Un petit geste de la main à l'intention de maman. Réflexe stupide. Je ne fais jamais coucou. *Ressaisis-toi, mec.*

Une fois hors de sa vue, je pars en trombe. Je sais qu'il faut que j'aille rendre visite à Molly Moskins avant que ma mère me prenne de court : nos versions doivent coïncider.

Certes, mon petit numéro n'était pas joli-joli. Mais il a fonctionné.

Et au moins, il est conforme à mon plan brillantissime au sujet de la disparition de la Lousomobile.

CHAPITRE 24

Le burrito à poils

Je n'aime pas Señor Burrito.

C'est la chatte de Molly Moskins. Chaque fois que j'ai le dos tourné, elle trempe sa patte dans mon thé.

— Tu lui plais ! s'exclame Molly Moskins. C'est sa façon de le montrer !

Si je tolère pareil désagrément, c'est uniquement parce que j'ai besoin de Molly Moskins. Il faut qu'elle corrobore mes faux propos. Installés sous son porche, on joue à la dînette.

— On devrait prendre le thé une fois par semaine ! Ce serait magnificofantastique ! s'écrie Molly, habituée à employer des mots qui n'existent pas.

Elle a témoigné un tel enthousiaste depuis que je me suis présenté à sa porte qu'elle n'a pas cessé un instant de jacasser. Je n'ai même pas eu l'occasion de lui dire que sa chatte devrait s'appeler Señora et non pas Señor.

— Molly, il faut que je te parle d'un truc.

— Oh. J'adore parler. (Elle pointe mon chapeau.) Tu aimes les biscuits ?

Je me tourne face à elle, mes pupilles alignées sur les siennes, étrangement asymétriques.

PUPILLES
Asymétriques

— Molly Moskins, mon agence a besoin de toi.

— Oooh, une agence de mannequins ? Ce sont mes yeux qui t'ont convaincu de me choisir, hein ?

— Non, Molly, ce n'est pas une agence de mannequins mais de *détective*.

Juste comme je prononce ces paroles, j'entends un *sploutch*.

C'est Señor Burrito. Elle a profité que je regarde ailleurs pour plonger *deux* pattes dans ma tasse.

— Molly, mon agence résout des crimes complexes de calibre mondial. Elle est en passe de devenir une multinationale multimilliardaire. La plus grande de sa catégorie.

Je la laisse digérer la nouvelle. Elle écarquille ses yeux asymétriques.

— J'adooore les biscuits ! se réjouit-elle en indiquant une nouvelle fois mon chapeau.

Je me lève pour partir.

— Tu gaspilles mes ressources, Molly. J'ai des affaires à régler. Inutile de me raccompagner.

Pourtant, avant que j'aie le temps de descendre les marches du porche, elle se précipite pour me barrer la route. Les effluves de mandarine redoublent à cause du mouvement.

— Ne t'en vas pas ! crie la Fille Mandarine. J'ai des enquêtes à te confier ! Plein d'enquêtes !

Elle saisit ma main et s'engouffre dans la maison en direction de sa chambre où elle fait coulisser la porte de son placard.

— Mes chaussures ont disparu !

Dans son dos, une armoire à chaussures est remplie de dizaines de paires.

— Enfin, elles n'ont pas *toutes* disparu mais beaucoup d'entre elles, si. Un bandit international s'en est emparé !

Ah ! Une affaire à l'international.

Je retourne vers la table du porche afin de prendre d'abondantes notes, la première étant :

Ne pas laisser Señor Burrito sans surveillance.

CHAPITRE
25
Privé de jet

Les avions de chasse F-16 ne sont pas à louer.

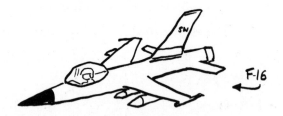

En tout cas, c'est ce qu'on vous dit quand votre ours polaire et vous vous présentez dans un centre de recrutement de l'armée. On ne vous confiera pas non plus d'hélicoptère Chinook.

Je leur explique que j'ai simplement l'intention de raser une banque. Qui n'est même pas classe, en plus.

— C'est tout ce que je peux te donner, dit le recruteur militaire en indiquant la fontaine à eau d'une main et en me passant un gobelet en carton de l'autre.

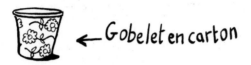 ← Gobelet en carton

Totale se lèche les babines.

— Monsieur, je ne crois pas que vous compreniez, commencé-je. J'ai déployé un effort de guerre maximal contre Sa Méchanceté.

Il lève le nez de ses dossiers. Je soutiens son regard.

— Elle représente une menace d'un mètre vingt contre la société.

Il se frotte les yeux.

— Écoute, fiston, j'ai du pain sur la planche. Si ça t'intéresse d'entrer dans l'armée, reviens me voir à tes dix-huit ans.

Qu'espérais-je de la part d'un des fonctionnaires qui m'ont attaché à une boîte aux lettres ?

Allez savoir ce que Sa Méchanceté leur a raconté à mon sujet. Mensonges, propos diffamatoires… Je ne doute pas qu'elle ait essayé de me faire passer pour un dingue.

Raison pour laquelle j'ai délibérément enfilé ce tee-shirt pour aller au centre de recrutement.

Malheureusement, mon associé n'a pas jugé nécessaire de m'imiter afin de s'assurer que, lui aussi, faisait une première bonne impression. J'ai bien tenté de lui expliquer que c'était l'armée. Que les exigences en matière de poids étaient strictes.

85 KILOS.
Idéal

Et qu'il ne les remplissait pas.

700 KILOS.
Gros Patapouf

Eh bien, non. Le gros pépère refuse de perdre du poids. Ainsi, lorsqu'on est entrés dans le bureau du centre de recrutement afin de louer un avion de chasse – *schplof* –, on a donné une première impression minable. Je l'avais pourtant prévenu.

Je pense qu'une fois ma guerre maximale contre Sa Maljesté terminée, je rendrai un service au pauvre mammifère : je l'enverrai dans une école de commerce par exemple. Ils lui apprendront peut-être ce qu'est un gobelet en carton.

Et alors, quand on retournera dans un centre de recrutement militaire, on ne se fera plus mettre à la porte pour avoir réagi de cette manière :

CHAPITRE
26
Illuminations nocturnes en solo

Je me réveille à trois heures du matin.

Et j'ai une révélation.

(C'est le genre de trucs qui arrivent aux bons détectives. Nos cerveaux surdimensionnés n'arrêtent jamais.)

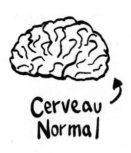

Cerveau Normal

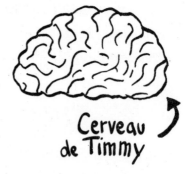

Cerveau de Timmy

Et la révélation en question est la suivante :

Quand j'étais avec Molly Moskins et que j'ai voulu partir en invoquant mon emploi du temps de détective surchargé, elle m'a coupé dans mon élan et imploré de rester, prétextant tout à coup qu'une grande partie de ses chaussures avaient été volées. Je lui ai demandé de donner le signalement de l'une d'entre elles ; elle a pointé du doigt une chaussure rouge, dans son placard, et assuré que sa jumelle était introuvable.

Sauf qu'elle la cachait en réalité dans son dos.

C'est alors que j'ai compris. J'ai deviné ce qu'elle mijote. Je couche mes conclusions par écrit dans mon carnet de détective.

CHAPITRE
27
Le taureau par les cornes

Quelque chose cloche dans notre système éducatif.

Je dis ça c'est parce que c'est barbant.

Si les enseignants voulaient vraiment qu'on apprenne quelque chose, ils intégreraient des activités aux journées d'école pour nous motiver.

Par exemple, enfermer Rollo Tookus avec un taureau dans un espace clos.

Ainsi, j'apprendrais qu'il ne faut jamais jouer avec des taureaux. Au lieu de ça, je me retrouve en binôme avec Rollo Tookus. Et il est aussi divertissant qu'un tas de sable.

Voici la façon dont cette affaire de binôme fonctionne : le prof forme des groupes de deux dans la classe. Vous expliquez la leçon à l'autre élève. Et il en fait autant avec vous.

Le cours, aujourd'hui, porte sur les conjonctions de coordination. Rollo me présente ainsi la leçon :

Et telle est ma présentation à Rollo :

— Arrête ça, me lance Rollo. Crocus va nous repérer.

— Mais non, le rassuré-je. Il est en train de lire des dépliants d'agence de voyages sur la Floride.

— Pour quoi faire ?

— Va savoir. Hé, j'ai besoin de ton aide.

— Pour quoi ?

— Il faudrait que tu infiltres la CCIA.

— Infiltrer quoi ?

Le Vieux Crocus lève la tête de ses brochures touristiques et baisse ses demi-lunes sur son nez.

— Vous n'en avez pas assez pour vous occuper, tous les deux ?

— Si, si, monsieur Crocus, lui répond Rollo.

Quel lèche-bottes !

Je baisse d'un ton pour poursuivre :

— C'est l'agence de renseignements de Corrina Corrina. Elle a pris ma Lousomobile. Je l'ai vue de mes propres yeux.

— Chhhh, commande Rollo tout bas. Je ne veux rien avoir à faire avec tes plans débiles.

— D'accord. Comme tu voudras.

— Bien.

— Mais je pense que le prochain devoir est de nouveau collectif. J'espère réussir aussi bien que la dernière fois.

La tête de Rollo se met à s'agiter telle une maraca.

← Maraca

— C'est bon !

Du coup, j'ajoute une question :

— Les taureaux, tu en penses quoi ?

Meeeuh

CHAPITRE
28
En sécurité
à la maison

— Tu as l'air super.

— Je n'ai pas l'air super. J'ai l'air débile.

Il est déguisé en marguerite.

— Comment je suis censé entrer plus facilement dans les locaux de Corrina Corrina à la banque avec ce truc ? soulève-t-il.

— On a déjà abordé ce point.

— Répète.

— Tu es Maggy la Marguerite et tu fais partie de la parade humaine de fleurs.

Interprétation artistique
d'une parade humaine de fleurs

— Alors explique-moi pourquoi j'entre dans une banque.

— Parce que Maggy la Marguerite souhaite ouvrir un compte.

— Tout ce qu'elle va répondre, c'est que la banque n'existe plus et que c'est maintenant la CC... je ne sais plus quoi.

— Peu importe. D'ici là, tu auras fini d'inspecter les lieux.

— Pourquoi je dois y aller déguisé ?

— Sinon, c'est trop louche. Elle sait qu'on est amis, toi et moi.

Je lui tends quatre pièces de vingt-cinq cents.

— C'est pour quoi ?

— Ton ticket de bus. Impossible que tu y ailles en Totomobile : tu te ferais remarquer instantanément.

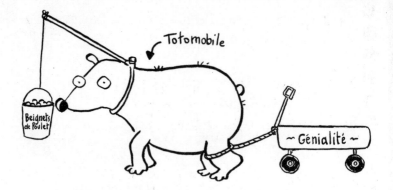

— Je ne peux pas faire ça.

— Tu t'en sortiras très bien.

Faux. Il ne s'en sortira pas. Autrement qu'en étant Rollo. Échec garanti.

La suite est si exaspérante pour un professionnel tel que moi que j'hésite à l'inclure dans ce livre. C'est l'illustration parfaite que même un plan brillamment conçu comme celui-ci peut être anéanti par l'amateurisme d'un imbécile empoté. Afin de prendre du recul par rapport aux événements, j'ai forcé Rollo à en rédiger lui-même le rapport.

MA VERSION DES FAITS

par ROLLO TOOKUS

- **14h55 :** TENTATIVE POUR MONTER DANS LE BUS.

- **14h56 :** LE CHAUFFEUR DE BUS ME CRIE :
  « HÉ, LE TARÉ, DÉGAGE DE MON BUS ! »

- **14h57 :** J'ENTAME MA LONGUE MARCHE JUSQU'À
  LA BANQUE.

- **14h59 :** MES PÉTALES DE MARGUERITE SE PLANTENT
  DANS LES YEUX DES GENS. ILS SONT FURAX.

· **15h01 :** UN TYPE FÂCHÉ QUE J'AI TOUCHÉ À L'ŒIL SE MET À ARRACHER MES PÉTALES.

· **15h04 :** ~~text barré~~

Moi, MAINTENANT

· **16h30 :** J'ARRIVE À LA BANQUE.

~~text barré~~ JE FRAPPE À LA PORTE.

CORRINA CORRINA DEMANDE :

« QUI C'EST ? »

JE RÉPONDS : « MAGGY LA MARGUERITE. »

ELLE DIT QUE JE RESSEMBLE À UN LAPIN TRISTE.

JE RECTIFIE EN ME PRÉSENTANT COMME MAGGY LA

LAPINE ~~text barré~~ TRISTE. ELLE S'ÉCRIE :

« MAIS ENFIN, QU'EST-CE QUI SE PASSE ICI ? »

• 16h31 : . MA TÊTE SE MET À S'AGITER.

  CORRINA CORRINA DEMANDE : « C'EST TOI ROLLO ? »

  JE LUI ASSURE : « NON, CORRINA CORRINA. »

• 16h32 : JE SUIS DÉCOUVERT !

  CORRINA CORRINA DIT :

  « ENTRE, ROLLO. RACONTE-MOI CE
  QUI SE PASSE. »

  MÉGA CRISE DE PANIQUE.

  JE TENTE UN : « GRANDE PARADE.
  MOI MAGGY. MOI VOULOIR BRAQUER
  BANQUE ! »

· 16h34 :

CORRINA CORRINA EST INQUIÈTE AU SUJET DE MA SANTÉ. MA TÊTE N'ARRÊTE PAS DE TREMBLER.

CORRINA CORRINA ME PROPOSE UN VERRE D'EAU. JE RÉPONDS : « DE L'EAU, NON. **MOI DEVOIR PARTIR !** »

J'PEUX PLUS PARLER. CORRINA CORRINA REÇOIT UN APPEL. ELLE SORT DE LA PIÈCE.

JE ME
CONCENTRE SUR MA ~~MISSION~~ MISSION

DE RECONNAISSANCE. JE SCRUTE

LES LIEUX. JE TROUVE LA SALLE

DES COFFRES-FORTS, IMMENSE.

JE RENTRE.

J'ENTENDS UN BRUIT DE

PORTE EN FER QU'ON REFERME.

· 16h35 À 20h30 :

ENFERMÉ DANS LE COFFRE.

Je n'ai pas franchement envie de revenir sur les moindres faits et gestes de Rollo ce long soir :

- Je me suis retrouvé incapable de respirer lorsqu'il m'a appelé avec son miniportable réservé aux urgences
- Il m'a traité de vilains noms
- Il ne m'a pas remercié lorsque j'ai téléphoné à sa mère et menti en prétendant que Rollo passait la nuit chez moi
- Il ne m'a pas écouté scrupuleusement lorsque je lui lisais mon ouvrage déposé *Le Régime de survie en captivité à base de flageolets et de sourires*

- Il a effrayé le pauvre type chargé du nettoyage de la banque le matin, tombé nez à nez avec un lapin mutant.

Mon seul regret, dans cette histoire, c'est le mauvais boulot de reconnaissance que Rollo a effectué. Parce que lorsque j'ai réclamé les plans de la banque, je m'attendais à mieux que ça :

CHAPITRE
29
Ça bouge

Voilà pourquoi maman nettoyait le garage :

On déménage.

Elle dit qu'à cause de ses nouveaux horaires de travail, on doit partir vivre en appartement.

Tout ceci n'a pas grande importance sachant qu'on empochera bientôt des sommes d'argent complètement indécentes.

Le résultat à court terme est que l'agence Lalouse Totale, Inc. sera enfin débarrassé du minuscule placard dégradant dans lequel elle était jusqu'ici confinée. Cela ne pourra que renforcer la bonne ambiance de nos locaux.

J'ai prévu une visioconférence avec ma mère afin d'aborder avec elle la question du futur bureau que j'aurai dans notre appartement. J'ai même joint un schéma de la répartition des pièces.

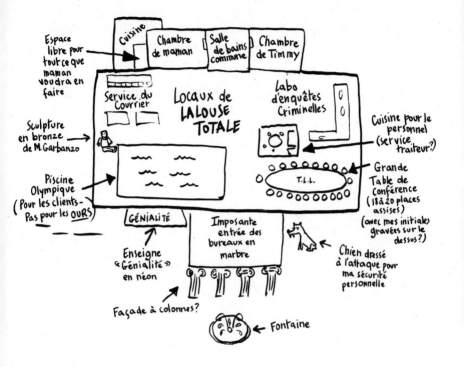

Espace libre pour tout ce que maman voudra en faire

Cuisine

Chambre de maman

Salle de bains commune

Chambre de Timmy

Service du Courrier

LOCAUX de LALOUSE TOTALE

Labo d'enquêtes Criminelles

Cuisine pour le personnel (service traiteur?)

Sculpture en bronze de M. Garbanzo

Piscine Olympique (Pour les clients - Pas pour les OURS)

T.L.L.

Grande Table de Conférence (18 à 20 places assises) (avec mes initiales gravées sur le dessus?)

GÉNIALITÉ

Enseigne «Génialité» en néon

Imposante entrée des bureaux en marbre

Chien dressé à l'attaque pour ma sécurité personnelle

Façade à colonnes?

Fontaine

Et dans la série des bonnes nouvelles, j'ai résolu l'affaire Weber.

Vous vous en souvenez probablement. Sinon, voyez ci-dessous.

J'y ai concentré toute mon énergie et mes ressources afin de prouver à Sa Maljesté qu'il ne faut pas plaisanter avec les détectives tels que moi.

Comment ai-je résolu cette affaire ?

Indice n° 1 : Jimmy Weber a précisé qu'il ne s'agissait pas de la première attaque de PQ dont sa famille et lui étaient victimes. PQ signifie Petits Querelleurs. Et qui en est un beau spécimen ?

En outre, on sait déjà que Molly Moskins est une voleuse de chaussures internationale. On parle alors de récidivisme (c'est-à-dire une tendance à répéter des actes criminels).

Le principal indice, néanmoins, était le deuxième. Je suis tombé dessus un peu par hasard.

Vous vous souvenez peut-être que lorsque j'étais chez Molly Moskins, j'ai bu une assez grande quantité de thé (en tout cas, avant que Señor Burrito s'asseye dedans). Par conséquent, j'ai été contraint d'utiliser les commodités.

C'est là que je l'ai découvert. Accroché au mur, à la vue de tous.

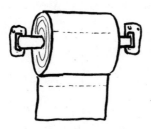

En effet. Du papier toilette. L'arme de prédilection de l'agresseur des Weber.

En plein dans les toilettes de Molly Moskins.

Cette fille est une *serial enquiquineuse* de première.

CHAPITRE
30
Le vide-ordures qu'on entend à l'autre bout de la planète

Baing bing boing ba da boing.

Ce n'est pas une chanson à la mode.

C'est le bruit que font les poubelles lorsqu'on les jette dans le vide-ordures de notre nouvel immeuble. Je m'y suis habitué car il jouxte directement le siège social international de Lalouse Totale Inc.

Dans le couloir.

Vous avez bien lu, oui. Après avoir ignoré mes innombrables requêtes en vue d'une visioconférence, ma mère a loué un riquiqui une pièce. Et maintenant, je dors sur un canapé-lit dans le bureau.

Tandis que le siège social de mon entreprise est situé près du vide-ordures dans le couloir de l'immeuble.

En temps normal, je convoquerais le conseil d'administration afin de débattre de ces conditions déplorables. Mais là, c'est impossible. Car je ne dispose pas du soutien de la moitié des administrateurs.

La moitié en question se sent au paradis, elle.

CHAPITRE
31
Ebb et Flo

Au cœur des entrailles de la Terre infestées de rats.

À l'extrémité d'un labyrinthe de boyaux éclairés par des torches.

Avec des chiens d'attaque pour gardes.

C'est là que se trouve la Lousomobile.

Je n'en suis pas sûr à 100 %. Seulement, c'est mon instinct de détective qui parle. Et il est rare qu'il se trompe. Je parierais même que ces tunnels sont localisés sous le QG de la CCIA. Même si je n'ai pas de certitude à ce sujet non plus. La faute à qui ? À l'incapable qui n'a pas pu jouer son rôle de marguerite convenablement.

Mauvaise
Marguerite

Arracher le véhicule des griffes de chiens féroces est du gâteau pour Totale. Normal, il est au sommet de la chaîne alimentaire de l'Arctique. Pourtant, la dernière fois que j'ai vu Totale en action contre un chien, voici ce qu'il en était :

C'est le problème avec un prédateur de l'Arctique tel que Totale. Vous lui donnez un phoque et *bam !* ça lui fait son déjeuner. En revanche, vous lui apportez un chien et *bam !* il s'en fait un copain.

Afin d'augmenter les chances de Totale de récupérer la Lousomobile, j'ai commencé à envoyer des lettres à Sa Maljesté. Les courriers contiennent des messages subliminaux.

Mais pour une raison inconnue, toutes les lettres sont revenues avec la mention « INCONNU À CETTE ADRESSE ». Ça vient peut-être de l'adresse, effectivement.

Il n'y a pas que ces lettres que j'ai du mal à faire parvenir à bon port. Dernièrement, toutes mes plaintes au Comité d'Enquête sur les Enquêteurs m'ont également été réexpédiées. Par exemple, celle-ci, déposée après l'incident de Rollo à la banque :

Compte tenu de tout ça, je soupçonne La Poste d'être à la botte de Sa Maljesté. D'abord, ils m'attachent à une boîte aux lettres. Ensuite, ils bloquent mon courrier.

Puisque je ne peux plus avoir confiance dans les services postaux, je vais me lancer à fond dans la technologie.

Les frais sont plus élevés que ce que je pensais.

Je planifie donc une nouvelle visioconférence avec ma mère. En voici le procès-verbal.

Par chance, j'ai d'autres options. La bibliothèque municipale, notamment. C'est là que Flo le bibliothécaire entre en scène.

Je vous présente Flo.

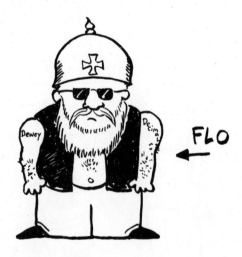

CHAPÎTRE
32
Emily les poings

À la bibliothèque où je suis inscrit, mieux vaut ne pas dépasser les vingt minutes maximum d'accès autorisé à Internet. Sinon, voici ce qui arrive :

Ça, c'est Flo fâché. Flo n'est pas le diminutif de Florence. C'est la version courte de « Si tu ranges mal mes livres sur les étagères, le sang va couler à FLOt ».

Je n'ai jamais vu de mes propres yeux Flo rouer de coups quelqu'un en vrai mais des rumeurs sont parvenues jusqu'à mes oreilles. Des rumeurs d'abonnés aperçus entre les rayons et qu'on n'a plus jamais revus par la suite. D'autres à propos de doigts perdus dans les tiroirs métalliques qui contiennent les cartes du catalogue de la bibliothèque.

C'est pourquoi les gens rangent les livres à leur place, dans cette bibliothèque. Ils n'arrachent pas les pages des magazines. Et ils ne posent pas non plus de questions débiles.

Cet arrangement me convient tout à fait car Flo et moi sommes des collègues professionnels. Il sait notamment que j'ai le bras long. Un bras long qui un jour, si nécessaire, pourrait le faire sortir de taule. De cabane. Du trou.

Le Trou

Quant à moi, je sais qu'il garde un œil ouvert sur le Timmynator. Imaginons que je veuille dépasser le temps limite de vingt minutes d'accès à Internet : il me suffit de lui décocher un regard plein de sous-entendus. Alors, il me répond d'un grognement.

Collègues Professionnels

Bien entendu, il s'agit d'un privilège : ce n'est pas donné au commun des mortels. Mais ainsi vont les choses dans la nébuleuse clandestine où gravitent les détectives. Des regards sont échangés. Des corps disparaissent. Le temps passé sur Internet est dépassé.

Et du temps sur Internet est exactement ce qu'il me faut en ce moment. Parce que je construis mon propre site.

Enfin, pas *moi*. Flo.

Il a vu comment je m'y prenais et il a poussé un grognement. Donc je me suis levé. Et il s'est installé à ma place. Il a alors commencé à enfoncer les touches du clavier avec ses gros doigts boudinés.

Je lui ai dit que je voulais que sur la page d'accueil apparaisse :

Puis, sur la suivante :

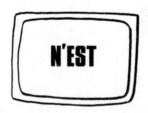

Et sur la troisième :

Et enfin, sur la dernière page :

Hélas, Flo s'est trompé et maintenant, quand on va sur mon site, voici ce qui s'affiche :

J'en toucherais bien deux mots à Flo mais il faut que je choisisse le moment opportun. Et ces moments sont rares. Rares car dès que Flo s'assoit à son bureau de bibliothécaire, il se met à lire. Et Flo n'apprécie guère qu'on le dérange. Il paraît que ses livres ne parlent que d'une chose : les méthodes pour tuer. Et se débarrasser des cadavres. Et la façon de pulvériser des trucs à la force du poing. Un jour, j'en ai même vu un avec un drôle de titre :

J'imagine que si le bouquin s'appelle comme ça, c'est parce que cette Emily a écrit de nombreux livres sur la manière de réduire des choses en bouillie avec son poing. J'ai cherché son nom sur Internet.

À supposer qu'elle soit capable de broyer des choses avec son poing, la photo ne lui rend pas du tout justice.

EMILY DICKINSON,
broyeuse de trucs avec
son poing

CHAPITRE
33
La technologie pressée comme un citron

Je ne change pas uniquement le cours de l'Histoire sur la Toile. J'utilise les ordinateurs de la bibliothèque pour envoyer des courriers électroniques. Ou, ainsi que certaines personnes du milieu détective aiment les appeler, des e-mails.[2]

Les courriers électroniques et la Toile font partie intégrante de la stratégie par laquelle je m'efforce de développer ma société tout en détruisant celle de Corrina. J'ai trouvé l'adresse électronique de sa Maljesté sur un flyer qu'elle a affiché à la bibliothèque.

---

2. Ne cherchez pas à mémoriser tous ces termes jargonistiques propres à notre milieu. Ils sont hautement techniques. J'ai bâti mon récit de telle sorte que pareils termes puissent être devinés par le lecteur moyen d'après le contexte.

Le flyer en question était diffamatoire.

La nature diffamatoire des propos est l'objet d'un dépôt de plainte électronique auprès du Comité d'Enquête sur les Enquêteurs.

À : ComitedEnquetesurEnqueteurs@geemails.com
De : TimmyLalouse@yahoos.com
Objet : Diffamation

Je ne suis inférieur à personne

Par ailleurs, j'envoie de faux e-mails à l'adresse personnelle de Sa Maljesté. Ils ont pour but de la mettre sur de fausses pistes. Histoire de gaspiller les ressources de son agence. De l'orienter vers des recherches qui ne servent absolument à rien. Voici celui que j'ai envoyé hier :

À : CorrinaCorrina@geemails.com

Je suis une vache ayant potentiellement été témoin d'un meurtre.

Veuillez me retrouver afin que nous puissions parler.

PS : Si ça peut vous aider, je suis reconnaissable aux « Meuh » que je pousse.

Dommage que le scanner de la bibliothèque ne fonctionnait pas.

Sinon, j'aurais inclus cette carte pour lui indiquer la voie :

CHAPITRE 34

Zéro, mon héros

Le zéro aurait été inventé par les Mayas. Ils en ont fait toute une histoire. Je ne vois franchement pas pourquoi, mais ce que je sais, c'est que sans lui, cette note n'existerait pas :

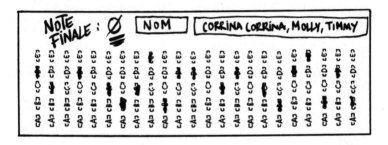

C'est notre interro de groupe en anglais. Celle qui inquiétait Rollo.

(Enfin, celle qui, *dernièrement*, l'inquiétait le plus en tous les cas.)

Sauf qu'il l'a ratée parce qu'il était malade. Il n'est donc resté que moi, Molly et Sa Maljesté. Et disons que notre collaboration n'a pas franchement été idéale.

Sa Maljesté s'est donc retrouvée à répondre à l'ensemble des questions toute seule. Et par

un coup de malchance stupide, elle a eu tout bon. Personnellement, jamais je n'aurais partagé mes réponses avec une dégénérée sans morale. Ainsi, quand elle a rendu le devoir, je l'ai récupéré et j'ai changé toutes les réponses : les A en B, les B en C et les C en D.

Résultat, notre A s'est changé en F.

C'était plus que Sa Maljesté ne pouvait supporter. Il a donc fallu qu'elle se plaigne. Elle a dit qu'elle ne voulait plus faire partie de notre groupe. Et voici ce que le Vieux Crocus a répondu :

Le type est un vieux croulant. J'ignore quelle partie du système éducatif l'a rongé jusqu'au trognon de cette façon, mais j'ai une petite idée éclairée.

Cette idée vient de la seule partie chez moi qui *est* éclairée à l'heure actuelle. Parce que Crocus a rendu son tablier. Fini les réunions parents/professeurs. Fini de m'appeler Capitaine Sans Cerveau. Fini de me mettre dans le groupe des intellos. Maintenant, il se contente de rester assis à son bureau à lire des guides touristiques. Parfois, il porte même une chemise hawaïenne.

Chemise Hawaïenne

Et quand ça ne suffit pas, il sort une figurine d'Hawaïenne et la regarde agiter ses hanches sous sa jupe en paille polynésienne.

Ma prise de position morale à l'encontre de Sa dépravée Maljesté dans le cadre de notre dernière interro commune semble le laisser totalement indifférent. Même si un truc, toutefois, a l'air de l'agacer.

Mon fan-club.

CHAPITRE
35
Le crétin et ses raisins

Lorsque, au bowling, on marque trois strikes d'affilée, on appelle ça un dindon. Justement, je vous présente un autre dindon du bowling :

Son nom, c'est Crispin Flavius. Et voici tous les autres renseignements dont je dispose sur lui :

1. Il joue au bowling.
2. Il sort avec ma mère.
3. Je l'ai baptisé le Dindon du Bowling.

Je l'ai rencontré hier pour la première fois. Il était assis à la table de ma salle à manger où il se gavait de raisins secs. Je peux donc ajouter une quatrième information à son sujet :

4.   Il mange des raisins secs.

Au passage, je hais les raisins secs. Néanmoins, cela ne m'a pas empêché d'entamer la conversation avec la jovialité qui me caractérise.

Ma mère m'apprend qu'ils se sont rencontrés quelque part. Elle ajoute un autre truc. Mais je n'entends pas parce qu'au même moment je remarque le col relevé du Dindon du Bowling. J'essaie alors de l'aider.

Je constate ensuite qu'un machin pousse sous sa lèvre inférieure.

À cet instant, je m'aperçois qu'il n'a qu'une oreille percée.

Troublé par notre échange, je bats en retraite dans la salle de bains afin d'inscrire dans mon carnet de détective les observations les plus fidèles que j'ai pu rassembler sur lui.

À mon retour dans la salle à manger, je suis gratifié d'un silence pesant. Je jette un œil à ma mère.

— Crispin aimerait que tu retires ton chapeau à table, dit-elle.

— Quand on est un gentleman bien élevé, on ne porte pas de chapeau pendant le repas, ajoute-t-il.

Je réponds de mon mieux.

Il ne prend pas super bien ma réponse. Alors maman m'expédie dans ma chambre. Sauf que je n'en ai plus. Je n'ai qu'un canapé-lit.

Du coup, je pars avec Totale chez Rollo.

Où je suis aussi mal accueilli.

CHAPITRE
36
Eurêka

Ça ne sert à rien d'expliquer une position de principe à Rollo. Du coup, quand je le vois, la fois d'après, je lui apporte un cadeau.

Pour lui remonter encore plus le moral, j'évoque l'affaire Molly Moskins. Son avis m'importe peu, en réalité, mais si ça peut lui faire plaisir...

— Je ne suis pas dispo pour m'en occuper en ce moment, Timmy. Tu as fichu en l'air ma moyenne générale.

— D'après toi, je devrais l'arrêter ?

— Ce que je crois, c'est que j'ai intérêt à réviser.

— Sinon, aucune chaussure n'est en sécurité. Et va savoir ce qu'elle fera sans papier toilette.

Rollo referme son livre puis se tourne vers moi.

— Si je te confie mon interprétation sur ce qui est en train de se produire, tu me laisseras tranquille ?

Je croise les mains derrière la tête et laisse échapper un grand éclat de rire avant de lancer :

— D'accord, mon grand. Vas-y !

— Molly Moskins a flashé sur toi. Elle cherche une excuse pour que tu passes du temps avec elle. Donc, elle cache ses propres chaussures et prétend qu'elles ont été volées.

Je suis pris d'un tel fou rire que j'ai du mal à reprendre mon souffle.

— Désolé, m'excusé-je. C'est juste que... je trouve ça dur, parfois, d'écouter les interprétations d'amateurs.

— OK, je t'ai dit ce que j'en pensais. Tu peux t'en aller maintenant ? Je dois être chez mon prof particulier dans dix minutes.

SON VILAIN PROF PARTICULIER

— Je croyais que Sa Maljesté venait ici, relevé-je.

— Ce n'est pas un cours. Elle a oublié quelque chose la dernière fois qu'elle était ici. Je lui ai promis que je le lui rapporterais.

— Alors je vais te suivre. Savoir où elle habite est d'une importance capitale.

— Même moi, je ne connais pas son adresse. J'ai rendez-vous avec elle dans un café.

— Tu es un traître et un monstre. Qu'a-t-elle oublié au fait ?

J'examine le sac à dos. Il respire le mal à plein nez.

— Un conseil : brûle-le, histoire d'assainir ta chambre.

— Je vais aux toilettes. Quand je reviens, je veux que tu sois parti, d'accord ? S'il te plaît.

Il sort de la pièce.

Et me laisse ainsi seul avec le sac à dos.

Ça ne me tente pas de fouiller dedans même si le départ de Rollo est un signal subtil m'y invitant. J'accède donc à sa demande et m'exécute. Je ne vois rien d'autre que des manuels débiles et des trousses et des écharpes. (Ah, ah ! On essaie de plagier mon style ?)

Jusqu'à ce que j'ouvre la dernière poche.
Et tombe sur le Graal.

CHAPITRE 37

Le Da Corrina code

Privé d'intimité dans mon bureau près du vide-
ordures, je me précipite à la bibliothèque, fort des
secrets de l'ennemi. À vive allure, je serpente les
rues afin de semer les assassins en route.

Je m'engouffre dans la bibliothèque et salue Flo
de la tête. Il débarrasse un bureau pour moi. Je
vérifie qu'il n'y a pas de bombe.

Je poste Totale en vigile, près de l'entrée du fond,
histoire qu'il couvre mon côté exposé.

Une fois le périmètre sécurisé, j'entame ma lecture du journal. Et, en gage de ma bonne foi, je vous en présente les pages ci-après sans le moindre commentaire.

À part ceux que j'ai collés dans la marge sur des Post-it.

Lundi 16 octobre

Ce soir, je suis assise toute seule dans ma chambre. Papa est encore au travail. Ma nounou regarde la télé. Je vais me coucher avant que papa rentre à la maison.

Mardi 17 octobre

Je me lève. Ma nounou me dit que papa est parti de bonne heure. Il y a un gros paquet pour moi sur la table de la cuisine. À l'intérieur, il y a des jumelles. Sur le mot, c'est écrit : « Pour t'aider dans ta prochaine enquête.

Bisous, Papa. »

↑ BEN VOYONS ! SÛREMENT SORTI VOLER DES VOITURE

BIEN VU, ↑ LE PÈRE. T'AS BESOIN D'AIDE.

Jeudi 19 octobre

Jimmy Weber veut me confier une enquête.
J'accepte pour lui rendre service.

Vendredi 20 octobre

Je résous l'affaire Weber en surprenant
une conversation de Chris Thompkin qui se
vante d'avoir entouré la propriété des Weber
de papier toilette.

Mercredi 25 octobre

J'arrête de travailler sur mon dossier tôt pour pouvoir regarder un film avec papa.

↑ ADMET SON MANQUE TOTAL DE PROFESSIONNALISME

Jeudi 26 octobre

Soirée film annulée. Papa
est parti en voyage d'affaires.

Jimmy Weber me paie pour avoir résolu
l'affaire PQ. Je lui réponds que je ne mérite
pas son argent pour aussi peu de travail.
Je lui rends ses sous.

DEVRAIT
REMBOURSER TOUS
SES CLIENTS. PUIS
METTRE UN SAC EN
PAPIER POUR SE
CA CH—

Je parcours le journal à la recherche de passages sur moi.

En vain.

Ce qui s'en rapproche le plus est une référence à Rollo.

Lundi 30 octobre

✾ ✾ ✾ ✾ ✾ ✾ ✾

Le garçon bizarre de notre groupe nous a fait rater le devoir collectif.

Ouah! Elle ne se souvient même pas du nom de Rollo. C'est ça quand on n'a aucun charisme. De toute évidence, elle le rend responsable parce qu'il était absent le jour de l'interro.

Soudain, ça fait tilt. J'ai compris ce qu'est ce journal, en réalité.

← UN POT

Non, pas ce genre de pot. Le pot-aux-roses. Pour votre information : tous les détectives savent que lorsqu'une entreprise souhaite dissimuler ses sombres secrets, elle tient deux journaux. La version édulcorée qu'elle préfère que la police voie. Et le vrai.

Sachant que j'irais chez Rollo, elle a délibérément placé son journal édulcoré dans son sac à dos avec l'espoir qu'en le lisant je ne découvrirais aucune mention de mon nom. Et qu'alors j'en déduirais qu'elle n'avait rien à voir avec le vol de la Lousomobile ! Maintenant, il ne me reste plus qu'à trouver le vrai.

Celui qui ressemble à ça :

CHAPITRE 38

Les ténèbres au bord de mon lit-canapé

Le coup de feu d'un tireur embusqué me réveille. Je me précipite à la fenêtre pour regarder dehors. C'est Molly Moskins : elle est en train de jeter des cailloux contre le carreau.

— Qu'est-ce que tu veux ?

— Je me disais qu'on devrait répéter pour le théâtre.

Plus tôt dans la journée, j'avais convoqué Molly Moskins dans mon bureau afin de discuter de la pièce. Maintenant, elle sait où j'habite.

— Va-t'en, Molly Moskins. La pièce n'existe pas. Je te l'ai déjà expliqué.

— Mais on devrait quand même s'entraîner, a-t-elle insisté.

— Ce n'est pas le moment, Molly Moskins. Je suis en possession d'informations top secrètes. Je n'ai pas le temps de rester debout devant une fenêtre ouverte.

Je la referme violemment pour regagner mon canapé-lit.

Une motte de terre heurte violemment le carreau. Il est cassé.

— Quoi encore ? m'écrié-je en me précipitant à nouveau vers la fenêtre. Tu vas me devoir de sacrés dommages et intérêts !

— On a volé mes chaussures ! crie-t-elle. Un criminel international !

C'est la vérité. Elle est en chaussettes maintenant.

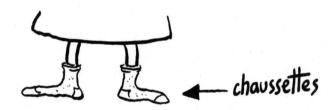

← chaussettes

Dans mon carnet de détective, je rédige une note de rappel afin d'ouvrir un dossier demain matin.

Quand je m'aperçois tout à coup qu'elle a un truc caché dans le dos.

TRUC CACHÉ
DANS LE
DOS

Alors, tout devient clair comme de l'eau de roche.
Au début, elle avait des chaussures. À présent, elle
n'en a plus. En outre, elle dissimule quelque chose
derrière elle.

Je dessine ce que j'ai deviné qu'elle cachait.

— Lâche ça tout de suite, Molly Moskins !
vociféré-je. Tes actes de vandalisme sont terminés !

Ma mère ouvre en grand la porte de sa chambre
et allume la lumière du salon.

— Qu'est-ce qui te prend de hurler de cette
façon ?

Elle m'observe, debout, devant la fenêtre. Celle
qui est en morceaux.

— Mais qu'est-ce qui s'est passé ? poursuit-elle
avec plus de décibels.

— On a été victimes d'un cerveau du crime,

raconté-je. Estime-toi heureuse : ça aurait pu être cent fois pire.

— De quoi parles-tu ?

— La petite terreur en question avait l'intention de s'introduire ici sur la pointe des pieds, en chaussettes. On appelle ça une ruse.

— Qui ça ?

J'indique la fenêtre. Mais on ne voit rien d'autre que des buissons.

— Timmy, j'ai dû verser un dépôt de garantie énorme pour cet appartement. Et tu sais ce qui arrive dans ce genre d'incident ? Ils prélèvent directement dans le dépôt pour couvrir les frais de réparation.

Ma mère est d'une ingratitude sans borne.

— D'abord, tu empruntes mon Segway pour une pièce de théâtre sans demander la permission.

Ensuite, tu casses la fenêtre. Quand vas-tu apprendre à respecter les affaires des autres ?

Je résiste au barrage en silence. Je suis un génie incompris sous son propre toit.

— Et à propos, ajoute-t-elle, mains sur les hanches, j'ai eu une petite conversation avec ton ami Rollo Tookus, hier.

Magnifique, pensé-je. Je ne vois pas ce qu'il peut en ressortir de bon.

— Il est venu chercher un objet qui avait disparu d'un sac à dos. J'en ai profité pour lui toucher deux mots de votre pièce à l'école.

Mon œil gauche se met à cligner nerveusement. Suivi du droit.

— Et tu sais ce qu'il m'a répondu ? poursuit-elle.

Non, pas du tout. Mais mentalement, j'encourage à fond le petit rondelet en question.

— Qu'il n'y en avait pas.

Subterfuge ! Traîtrise ! Je bondis sur mon canapé-lit et proclame en hurlant :

Mon discours est osé. Provocateur. Virulent même.

Alors j'ajoute :

Samedi. En d'autres termes, trois jours après mercredi. Sachant que mercredi, c'est aujourd'hui. C'est une fable si énorme, qui va tellement loin, que j'aimerais rectifier le pense-bête sur ma semelle gauche.

Ma mère, après un sourire, éteint la lumière. Après quelques instants, elle me répond dans l'obscurité :

— Avec grand plaisir.

CHAPITRE 39

Besoin d'un coup de patte

On va prendre d'assaut le château. Par château, entendez :

Pas de temps à perdre. Totale enfoncera la porte. Bondira sur ses pattes de derrière. Et rugira avec toute la fureur qui fait pleurnicher les phoques en Arctique. Sept cents kilos en colère. Réclamant la Lousomobile.

En ourspolairais.

Il va falloir traduire.

C'est moi qui ai eu l'idée de l'écriteau. Et Totale qui a rédigé le message.

Il ne me plaisait pas. Du coup, je l'ai remplacé par quelque chose de plus primitif. Plus bestial. Plus Frankenstein.

Bien entendu, le message manquait de clarté. Mais au moins, il était direct. Et intimidant.

Mon plan consistait à accompagner mon associé jusqu'à la banque et à surveiller les issues de secours. Seulement, c'est impossible.

Je suis pris au piège.

Dans la Cadillac rutilante du Dindon du Bowling.

Je suis retenu en otage contre ma volonté. Ou, selon la version de ma mère, je vais au magasin de bricolage : il faut racheter un nouveau carreau. Pour réparer la fenêtre que je n'ai pas cassée.

Je dispose de quarante-huit heures pour récupérer la Lousomobile, et d'aucune pour ce genre de bêtise.

Je n'ai pas non plus de temps pour la leçon de morale du Dindon du Bowling. Celle où il me dit que ce serait bien que je grandisse. Et que je sois responsable. Au lieu de me comporter comme un gamin.

Ou de jouer à faire semblant.

Je profite d'un arrêt au stop pour ouvrir la portière d'un coup de talon.

Et je prends mes jambes à mon cou.

Je cours sans but. Nulle part. Loin.

Jusque dans le flanc poilu d'un ours polaire.

Lequel, en route vers la banque, une pancarte qui dit MOI VOULOIR en mains, a reçu de commerçants et épiciers bien intentionnés, toutes les marchandises possibles et imaginables qu'ils avaient à leur disposition. De sorte qu'une fois ce

mammifère colossal prêt à enfoncer la porte d'entrée de l'Antre de Sa Méchanceté afin de terroriser tout le monde, il avait l'air de ça :

Pourtant, je ne m'énerve pas. Je prends sa patte et ensemble, on marche. Lui et moi contre le monde entier.

CHAPITRE 40

Veuillez composer le M de Magellan

Impossible d'écrire *Magellan* sans *M*.

Je le sais parce que j'ai fait une faute dans mon devoir d'histoire-géo sur les explorateurs du monde. Je l'avais écrit comme ça :

Chang

J'ai répondu « Chang » parce que la question demandait : « Qui fut la première personne à parcourir le globe terrestre sur un bateau à voile ? » Et je ne connaissais pas la réponse. En revanche, je savais que Chang était le nom de famille le plus courant au monde. Du coup, j'ai tenté ma chance.

J'avais déjà essayé auparavant.

Qui a rédigé la Constitution des États-Unis ?

Chang.

Le fait est qu'aujourd'hui, c'est vendredi. Il me reste vingt-quatre heures pour retrouver la Lousomobile.

Et à moins qu'un de ces explorateurs la découvre, ils ne me sont d'aucune utilité.

Même si je suis passé à deux doigts de répondre juste à la question : « Comment s'appelaient les trois bateaux de Christophe Colomb ? ».

Riri,
Fifi
et Loulou

CHAPITRE
41
Sot d'approbation

— « Le phoque le plus heureux au monde pensait que la Terre était un merveilleux endroit », lit ma mère à voix haute.

Le phoque le plus heureux au monde pensait que la Terre était un merveilleux endroit.

— Timmy, dit-elle, on peut s'arrêter un instant ?

Elle raconte une des histoires que j'ai inventées pour Totale. Seulement, il dort déjà.

Elle pose la feuille.

— Écoute, je sais que ça n'a pas été facile ces temps-ci. Entre mon boulot et l'appartement, il y a eu beaucoup de changements.

Je hausse les épaules avant de me perdre dans la contemplation du paysage nocturne.

— Bref, je voulais juste te dire que Crispin m'avait parlé de la conversation qu'il a eue avec toi.

Oh, oh. Voilà le coup de massue maternel.

Je plonge mes yeux dans les siens.

— C'est moi, ta maman. Lui n'est pas ton père. (Elle dégage les cheveux de mon front.) Ce n'était pas une raison pour t'enfuir de la voiture. Il t'a cherché pendant deux heures.

Évidemment. C'est un amateur. Ce n'est pas lui qui va trouver un détective surentraîné.

— Tout cela pour dire que j'ai pensé qu'on pourrait aller au resto manger des fruits de mer après la pièce, demain. Ton associé appréciera sûrement, n'est-ce pas ?

Ah, oui. La pièce. Celle que je vais écrire dès que ma mère aura quitté le salon.

— Mon associé adorerait ça, j'en suis sûr. Et c'est sage de ta part. Il représente à lui seul la moitié du comité d'embauche de l'agence.

Elle m'embrasse sur le nez. Et se lève pour prendre congé.

— Tu vas où ? lui demandé-je.

— Au lit.

— Mais tu n'as pas fini l'histoire.

En souriant, elle se rassoit et reprend sa lecture :

— « Le phoque le plus heureux au monde pensait que la Terre était un merveilleux endroit. »

Elle tourne la page.

CHAPITRE 42

Molly fait son cinéma

— Arrête de me toucher ! hurlé-je à Molly Moskins.

Elle m'entoure de ses deux bras tandis qu'on se tient debout devant le cabanon de son grand jardin.

— Tu es certain que je ne suis pas censée t'étreindre, là ?

— Oui ! m'écrié-je, couvert d'une odeur de mandarine.

— Je *savais* qu'on aurait dû répéter cette pièce, constate-t-elle à regret. Dans ce cas, on serait fantastidable aujourd'hui.

— Je te l'ai dit, Molly Moskins. Je viens de finir de l'écrire il y a deux heures. J'y ai passé toute la nuit.

Je me rassois brusquement au fond de mon siège de metteur en scène et prend mon Thermos de café ; c'est tout ce qui me tient éveillé.

Enfin, ça et la frousse. Ma mère arrive dans une heure. Je l'ai convaincue que la pièce avait dû être montée ici plutôt que dans l'amphi de l'école où des dalles au plafond étaient tombées pendant les répétitions.

Elle m'a demandé pourquoi l'école ne pouvait pas présenter la pièce sur un des terrains, dehors, à la place du jardin de Molly.

Je lui ai expliqué que l'actrice principale, qui était une vraie diva, l'avait imposé. Si j'avais su à quel point je disais vrai !

— Tu n'as même pas donné de réplique à Señor Burrito ! râle-t-elle.

— Concentre-toi sur ton texte, Molly Moskins.

— J'ai du mal à me concentrer sachant que Señor Burrito est triste.

J'observe un instant Señor Burrito. Jamais je n'aurais dû la quitter des yeux.

— Et comment peux-tu écrire une pièce intitulée « Un Segway nommé Génialité » sans même posséder de Segway ?

— Le Segway est suggéré, Molly, au lieu d'être montré. Il est censé être dans la grosse boîte.

— Je n'y comprends rien, admet-elle.

— C'est toi la marchande de Segway. Tous les jours, je passe devant ton magasin et je te répète que mon rêve, c'est d'en acheter un. Alors, toi tu dis ?

Elle examine brièvement son script.

— « Euh, désolée, mon bon monsieur. Vous n'avez pas assez d'argent », lit-elle tout haut.

— Parfait. Ensuite, je prends ma tête à deux mains et je hurle « transporteueueueueur » !

— Pour quoi faire ?

— Comment ça, « pour quoi faire » ? C'est un signe de frustration.

— Tu es frustré qu'on ne se fasse pas un câlin ?

— On ne se fait jamais de câlin dans la pièce.

— C'est « suggéré », non ?

— Pas du tout. Arrête de toujours ramener ça sur le tapis.

— Alors qu'est-ce qu'on fait une fois que tu as fini de crier ?

— Rien. C'est la fin du texte.

— C'est tout ce que tu as écrit ?

— Vas-y, toi : essaie d'inventer toute une pièce en une nuit ! Encore heureux qu'on ait des dialogues aussi percutants et pleins d'esprit !

— Mais je n'ai qu'une réplique.

— Ne t'inquiète pas pour ça, la rassuré-je. Pour la suite, on va composer.

— Que veux-tu dire ?

— On va inventer. Improviser. Dire ce qui nous passe par la tête.

— Je t'adore !

— Quoi ?

— C'est ce qui m'est passé par la tête.

— Je parlais de la pièce, Molly Moskins. On improvisera pendant la pièce. Et ne dis pas ça. Tu peux tout dire sauf ça.

— D'accord. Oh, tiens, voilà ta mère ! s'exclame Molly, surexcitée.

— Il n'y a pas de mère dans la pièce.

— Mais non, là-bas.

C'est alors que je l'aperçois. Qui remonte l'allée.

— Bonjour, madame Lalouse ! pépie Molly.

— Tu dois être Molly, devine-t-elle.

— Maman ! la rabroué-je. Qu'est-ce que tu fabriques ici ?

— Tu m'as dit 13 h.

— J'ai dit 14 h.

— 13 heures.

Elle sort les billets que j'ai imprimés au magasin de copies.

**ENTRÉE VALABLE
POUR UNE PERSONNE**

Un transporteur nommé Génialité

Samedi, 13 h

Une erreur de frappe débile. Ne vous fiez jamais à votre associé de l'Arctique pour les corrections finales.

— Ouais, eh bien, les pièces ne commencent *jamais* à l'heure ! C'est la raison pour laquelle il n'y a pas encore d'autres spectateurs. C'est malpoli d'arriver à l'heure.

— Soit. Je vais m'asseoir et attendre alors. Où sont les chaises ?

Les chaises. Je savais que j'avais oublié quelque chose.

— Elles ont été écrasées par les dalles du plafond lorsqu'elles sont tombées. Tu vas devoir rester debout. Mais pour l'instant, les acteurs ont besoin d'espace.

Ma mère me décoche un drôle de regard.

Je me dépêche de rentrer dans la maison avec Molly.

— Donne-moi ton téléphone, lui commandé-je. Dépêche.

Elle me tend l'appareil. J'appelle Rollo.

— Raboule tes fesses immédiatement, lui ordonné-je. Ma mère s'est pointée une heure trop tôt.

— Tu avais dit deux heures, réplique Rollo.

— Je sais ce que j'ai dit. Contente-toi de venir. Et passe le message aux autres : qu'ils en fassent autant.

— Personne d'autre n'a eu envie de venir : il n'y a que moi.

— Je t'ai demandé d'inviter tous les élèves de la classe sauf Tu-Sais-Qui.

— C'est ce que j'ai fait. Ils ont répondu non. Tu veux que je pose la question à Tu-Sais-Qui ?

— T'es malade ? Bon, il y a toi, c'est déjà ça. Ma mère verra *quelqu'un* dans le public.

— Je ne peux pas me libérer avant quatorze heures.

— Pourquoi pas ?

— J'ai cours particulier.

— Sa Méchanceté est avec toi en ce moment ?

— Ne me hurle pas dessus, Timmy. Si tu n'avais pas planté les devoirs de groupe, rien de tout ça ne serait arrivé.

Je cherche une réplique appropriée. Rien ne vient. Ma voix est noyée par le vrombissement d'un engin qui crachote. Je jette un œil par la fenêtre de la cuisine de Molly. Et découvre un visage familier.

Enfin une personne fiable. Sous mes yeux, Flo pénètre dans le jardin en se dandinant. Ma mère le repère elle aussi. Et, comme on juge un livre à sa couverture, elle s'éloigne aussi loin que possible de Flo le bibliothécaire.

Je reprends ma conversation.

— Écoute-moi bien, Rollo Tookus ! Ou bien tu rappliques ici illico presto, ou bien je m'assure de me retrouver dans ton groupe chaque fois qu'il y aura un devoir collectif.

— T'oserais pas !

— Bien sûr que si.

Rollo pousse un cri. Je me tourne vers Molly.

— Allez, on a une pièce à jouer.

On franchit la porte de derrière en trombe pour aller se poster de chaque côté de la boîte du Segway. Je fais les cent pas devant. À un moment, je croise le regard de ma mère. Elle n'a pas l'air contente.

— Eh bien, je serais…, déclaré-je dans la peau de mon personnage. Je donnerais tout pour pouvoir m'acheter ce Segway.

Molly ne pipe pas mot.

— J'ai dit…. Je donnerais tout pour pouvoir m'acheter ce Segway.

Molly reste silencieuse.

— J'AI DIT… JE DONNERAIS TOUT POUR POUVOIR M'ACHETER CE SEGWAY ! m'égosillé-je.

Molly se contente de sourire.

— Dis ta réplique, Molly, lui soufflé-je.

— Laquelle ? chuchote-t-elle à son tour.

— Celle dont on a parlé.

Elle affiche une expression perplexe. Idem pour ma mère.

— Celle dont on a parlé ! insisté-je entre des mâchoires serrées.

Elle ouvre grand ses yeux asymétriques.

— JE T'ADORE, TIMMY LALOUSE ! affirme-t-elle à pleins poumons en m'empoignant à deux mains.

Tellement fort qu'on tombe tous les deux à terre.

— Qu'est-ce que tu fiches ? m'écrié-je, horrifié.

— J'improvise ! Comme tu voulais.

— Lâche-moi !

Je roule dans l'herbe sans qu'elle me lâche. On descend jusqu'à l'allée dans un roulé-boulé.

Quand soudain, on heurte les pieds d'une personne rondelette.

C'est Rollo Tookus. Et, derrière lui, la Réserve mondiale de Méchanceté.

— QU'EST-CE QU'ELLE VIENT FAIRE ICI ? m'époumoné-je.

— Elle voulait voir la pièce, explique Rollo.

— Emmène-la ! Elle ne peut pas...

— Timmy, me coupe Rollo, elle veut juste...

— Ça m'est égal ce qu'elle veut ! Elle n'a pas...

— Ce n'est pas grave, Rollo, m'interrompt Sa Méchanceté. Je dois y aller de toute façon et...

— AAAAAAAHHHHH ! hurle une femme.

C'est ma mère. Elle s'éloigne à toutes jambes des arroseurs automatiques des Moskins qui viennent de se déclencher partout sur la pelouse.

— Éteins ça ! crié-je à Molly, toujours au-dessus de moi.

— Je ne sais pas comment. Ce sont des arrosomatiques.

— Alors, il faut bouger la boîte ! L'eau va abîmer le carton !

Je me débats pour me relever. Molly s'accroche à mes mollets. Je nous traîne à travers les jets d'eau jusqu'à la boîte.

Mais avant qu'on ait le temps d'y arriver, le carton fait un truc inattendu.

Il se déplace vers nous.

— GRRRRRRRR, rugit-il.

C'est mon associé.

Qui, à l'insu de tout le monde, piquait un somme sous la boîte du Segway. Et va maintenant compenser sa tentative ratée de forcer la banque en effrayant tout ce qui bouge autour de lui.

Seulement, c'est compromis sachant qu'il ressemble à une boîte avec des pieds pour l'instant. Dans cet état, il ne risque pas d'impressionner qui que ce soit.

Hormis peut-être Señor Burrito.

Qui, en voyant la boîte marcher, bondit de mon Thermos pour sauter sur le visage de Rollo Tookus.

Rollo, paniqué, arrache avec force le Burrito volant de son visage. Mais l'animal part à sa poursuite. Il finit alors par s'engouffrer en hurlant dans le cabanon dont il referme violemment la porte.

La force est telle que le loquet extérieur cède, enfermant Rollo par la même occasion.

Rollo m'appelle au secours. Je n'ai pas de temps pour lui. Parce qu'alors que je tourne la tête pour éviter un jet d'eau, j'aperçois ma mère. Elle descend l'allée, à mi-hauteur.

— Mamaaaaannn ! hurlé-je.

Pourtant, je suis incapable de bouger : Molly Moskins me tient la cheville à deux mains.

— Lâche-moi, imbécile ! crié-je à Molly.

Au même moment, néanmoins, ma paupière gauche se met à battre fébrilement et Molly Moskins l'interprète comme un clin d'œil.

— TU M'AIMES AUSSI !! hurle-t-elle en me tirant à terre.

Étouffé sous ses baisers, je discerne tout juste le bruit fuyant du moteur de la voiture de maman. Très vite, cependant, il est couvert par le vacarme des cris de Rollo.

— JE NE VEUX PAS PASSER LA NUIT ICIIIIIIIIIIIIIIIIIIIIIII !

Distraite par les hurlements, Molly considère Rollo. Je la repousse et file à toute allure. Le reste est flou.

D'après les témoins oculaires, au moment où je me redressais, mon associé a perdu l'équilibre et il est tombé sur ma tête.

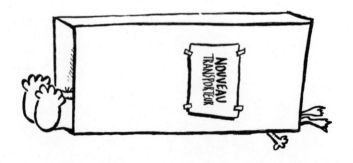

Ensuite, le même témoin oculaire qui s'est porté à mon secours ouvre la porte fermée à clé du cabanon, libérant ainsi Rollo de sa prison. Mais lui fichant une peur bleue.

Car, n'étant pas un habitué de la bibliothèque municipale, il n'a aucune idée de l'identité de son sauveur.

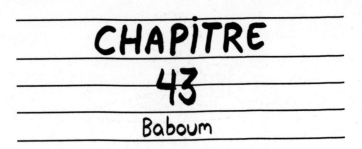

CHAPITRE 43

Baboum

J'ai toujours cru qu'il me faudrait un de ces spécimens pour me faire redescendre :

Et pourtant non. Il a fallu ceci :

C'est ma mère. À laquelle, la pièce terminée, j'ai été contraint de tout avouer.

Avouer que j'avais pris son Segway.

Avouer que je l'avais garé devant la maison des Hodges.

Avouer qu'il avait été volé. Et à la fin, elle ne s'est pas mise en colère. Elle n'a rien dit. Ce qui, chez une mère, est pire encore que de s'énerver.

S'il ne s'était agi que du Segway, j'aurais peut-être survécu. Seulement, il y avait plus grave. Parce qu'en rentrant à la maison, ce jour-là, en relevant le courrier dans la boîte aux lettres, elle a trouvé ce qui suit :

Chère Madame Lalouse,

Je suis au regret de vous informer que votre fils Timmy a récemment obtenu la note de zéro à son devoir d'histoire. C'est son deuxième zéro d'affilée à un devoir sur table.

Étant donné ses mauvaises notes à ces devoirs et aux précédents, nous n'avons pas d'autre choix que de le faire redoubler une classe.

Alexander Scrimshaw,
Directeur d'établissement

Impossible de survivre à cela. Ainsi, d'une voix mortellement calme, elle a donné son verdict : fini les enquêtes. Je ne pourrais plus travailler sur des affaires. Adieu, Lalouse Totale, Inc.

Le pire, c'est qu'il y a pire.

Jugez par vous-mêmes :

Plus de Totale.

Si, si, c'est vrai. Pour elle, mon ours polaire était un prolongement de l'agence. Et toute chose ou toute personne y étant liées devait disparaître. J'aurais pu remplir des pages et des pages avec les arguments que j'ai avancés pour garder Totale. Mais cela ne servirait à rien. Aucun d'eux n'a fonctionné de toute manière. Même pas un peu. J'ai donc appelé le seul endroit de la ville qui, à ma connaissance, acceptait les ours polaires.

Et ils ont bien voulu l'accueillir.
Bientôt est venu le temps des au revoir.

CHAPITRE
44
Sans titre

CHAPITRE 45

Crocus prend le large

Je n'ai pas été le seul à avoir été démoli. Crocus a implosé lui aussi.

Ça fait bizarre de lire qu'il a un prénom. La plupart des profs n'en ont pas. Dommage que le système éducatif l'ait laissé tomber. Enfin, ce sont des choses qui arrivent.

Le voilà coincé en Floride.

Sans moi.

Naturellement, je représentais un défi de taille. Un obstacle. Mais les personnes âgées ont besoin de ça pour s'entretenir.

Il ne lui reste plus que le soleil et la plage.

Je n'ose pas imaginer sa tristesse, le matin, lorsqu'il se rend compte de mon absence.

Si vous ne me croyez pas sur parole, vous n'avez qu'à voir la photo publiée avec l'article.

Il paraît malheureux comme les pierres.

CHAPITRE 46

À contre-courant

Remarque de l'auteur : Vous trouverez ci-après un extrait de ma correspondance avec mon associé. Je l'ai incluse ici en guise de référence historique de notre temps d'incarcération ainsi que pour la protéger des taches de bave et de graisse dont elle risquerait de souffrir si elle restait en possession de mon associé.

Destinataire : Totale
— Pavillon des Ours Polaires
Zoo Municipal

Cher Assoué,
Nous voilà tous en prison.

Ta cage   Ma cage

Combien de temps cela va-t-il durer ? Je l'ignore.

Tout ce que je sais, c'est que je suis enchaîné à
ces manuels scolaires dès la seconde où je passe
la porte de l'appartement jusqu'au moment d'aller
me coucher...

(avec une pause pour dîner en compagnie de
ma gardienne de cellule).

Moi
→

← Gardienne

Et je ne comprends pas l'astuce au sujet de ces livres, mais on dirait qu'ils ont été conçus spécialement pour détourner l'attention de leurs lecteurs.

Comme ~~aujourd'hui~~ aujourd'hui

Je suis assis à lire un truc sur un truc lorsque mon regard se perd dans les veines du bois de mon bureau. Et, surgie de nulle part, j'ai soudain une vision : moi, en train de courir à l'intérieur comme dans un labyrinthe.

Allez, moi, vas-y

Une heure passe ainsi.

Alors j'essaie de reprendre ma lecture mais j'entends soudain un chien.

← CHIEN

Ce qui me fait penser à des voitures.

← voitures

Ce qui rime avec pots de confiture

← Pots de confiture

Qui peuvent également contenir
de la mayonnaise.

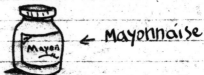

← Mayonnaise

Du coup, maintenant, je mange un
sandwich au saucisson.

Et _deux_ heures se sont écoulées.

J'essaie donc de me remettre au travail.

Sauf que mon caleçon est trop serré.

 ← Mon caleçon

Alors je dois me changer.

J'ouvre mon tiroir.

Et trouve une lampe de poche.

Qui marche toujours.

Je fais ça.

Et là quatre heures plus tard...

La gardienne de prison vient pour son inspection.

Je fonce à mon bureau.

Et jure que tout va bien.

Le nez dans mon bouquin.

QUAND MON REGARD
SE PERD ENCORE DANS LES
VEINES DU BOIS.

CHAPITRE 47

Le football, c'est pas le pied

— Je voudrais juste savoir de quoi mon hamster est mort.

C'est Max Hodges.

Et il m'embête pendant ma récré du midi.

— Je ne peux pas te le dire, lui réponds-je.

— Pourquoi ?

— Parce que mes services d'enquêteur ont été interrompus définitivement par des forces extérieures.

— Je ne comprends pas ce que ça signifie.

— Je ne peux pas l'exprimer plus simplement. Désolé que tu ne puisses pas capter.

— Enfin, bon, je suis au courant pour ta pièce, reprend-il avec le sourire.

— Je vois, répliqué-je sur un ton courtois. Tu as donc entendu qu'elle avait été sabotée par un ancien associé rondelet et son prof particulier machiavélique ?

Il secoue la tête.

— J'ai entendu que tu étais tombé et que tu t'étais cogné la tête contre un arroseur automatique.

— Balivernes ! crié-je en bondissant sur mes pieds.

Max Hodges se gratte le crâne.

— Ça non plus, je ne sais pas ce que ça veut dire.

— Cela signifie qu'une sale petite gredine est décidée à me détruire. Elle ment sans le moindre scrupule.

Max Hodges affiche une mine confuse.

Je m'efforce de prendre mes distances vis-à-vis de cet âne mais il me rattrape par le bras.

— Écoute, Lalouse. Réponds simplement à une question. Sans me dire de *quoi* est mort mon hamster, est-ce que, au moins, tu pourrais me le dire *si* tu le savais ?

— Je m'appelle Timmy Lalouse, déclaré-je. Qu'est-ce que tu crois ?

— Pour l'instant, ce que je crois, c'est que tu es vachement zarbi.

Avant que j'aie le loisir de répondre, je reçois un ballon de foot en pleine figure.

Je ramasse le ballon. Et le jette dans la rue.

— Pardon pour le ballon, Timmy. Enfin, ce n'était pas une raison pour le lancer sur la chaussée.

C'est le nouveau prof. Je ne connais pas son nom.
Donc, je vais l'appeler :

le Bleu.

— Tu devrais venir jouer au foot avec tes camarades et moi un de ces jours, dit le Bleu. C'est sympa.

Je le regarde escalader le grillage pour aller chercher le ballon.

— Non merci.

— Et pourquoi pas ? insiste-t-il.

— Parce que vous n'êtes que la pâle ombre de l'homme qu'était Frederick Crocus. Et qu'il me manque terriblement.

— Oh, allez. Donne-moi une chance.

Il me renvoie la balle.

Elle atterrit en plein sur ma tempe.

— Vous m'avez encore frappé en pleine tête ! m'écrié-je.

— Désolé. Attends, je vais te montrer comment rattraper la balle.

Sa leçon, cependant, est interrompue par la sonnerie. Ouf.

— Eh bien, maintenant que vous avez réduit en bouillie l'extérieur de mon crâne, vous n'avez plus qu'à en faire autant à l'intérieur.

Il éclate de rire avant de s'éloigner.

Je sens une main de femme sur mon épaule.

— Sois gentil, me prévient Dondi Sweetwater. M. Jenkins est un bon enseignant.

— Pas maintenant, dis-je à la pionne. Ma récré du midi vient d'être torpillée.

— J'ai vu. (Elle prend le ballon coupable à mes pieds.) Ça ne t'embête pas le ranger dans l'abri avant d'aller en classe ?

Elle me tend le ballon.

— Oh, et prends ça aussi tant que tu y es, ajoute-t-elle, un ton en dessous.

Elle pose dans mes mains deux carrés de Rice Krispies.

— Pour ton gros copain, précise-t-elle dans un murmure.

CHAPITRE 48

Signe, cachette, livre

— Il s'en est servi d'emballage, annoncé-je à mon associé.

— *D'emballage.*

On est samedi. Le seul jour de la semaine où j'ai la permission de rendre visite à Totale.

— Il devait envoyer des scores de bowling débiles à un bureau de la ligue. Tu le crois, toi, que même ces imbéciles ont une *ligue* ? Bref, l'andouille ne voulait pas que les feuilles soient pliées ! Comme s'il s'agissait de documents classés top secret d'État. Du coup, son micro cerveau lui crie : « Hum, où pourrais-je bien trouver du carton pour renforcer l'enveloppe ? » Et là, qu'est-ce qu'il fait ? Il l'arrache du mur. Et l'envoie par la *poste* !

Je ferais mieux de revenir un peu en arrière, pas vrai ? L'andouille dont on parle, c'est lui :

Quant au morceau de carton dont il est question, le voici :

L'enseigne de notre entreprise. Le gage de notre réputation. Planté au sommet d'un tas d'ordures oublié dans Bowlingville, aux USA.

BOWLINGVILLE
USA

— Attends, ce n'est pas tout : le type déballe toute l'histoire après-coup. Tu sais comment ? Il dit « Hé, t'avais encore besoin du machin, dans le couloir ? » Je réponds : « Oui. » Et il me lance : « Ben, il n'est plus là. » Et voilà ! Ni excuse, ni rien d…

Je jette un œil à mon associé par-dessus la rambarde.

— Tu m'écoutes ?

Totale fixe Staci, l'ours polaire femelle qui partage son enclos. Elle, tout ce qui l'intéresse, en revanche, c'est son ballon de beach-ball.

— Je te parle ! hurlé-je. On ne peut pas rester les bras croisés : on doit enrayer cette menace.

Totale s'approche d'elle. Elle pousse alors un grognement. Résultat, Totale fait le mort.

— Laisse tomber les filles, lui crié-je. Concentre-toi sur les affaires. Il nous faut un plan.

Totale se roule en boule dans un coin de son enclos en pierre.

— Écoute, je sais que la situation a l'air un peu désespérée pour l'instant mais tu dois garder la tête droite. Les entreprises passent par des hauts et des bas. C'est comme ça.

Totale cligne des yeux sans un mot.

— Très bien. Comme tu voudras. Tu sais quoi ? Je comptais garder ça pour plus tard, dans l'espoir de te remonter le moral, mais je vais te le dire tout de suite. (Je marque une pause pour amplifier la tension dramatique du moment.) Devine ce qu'il y a deux cages plus loin, à ta gauche.

Il bâille.

— Des phoques ! De délicieux *phoques* !

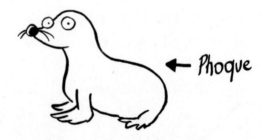

← Phoque

Je passe par-dessus la rambarde et pointe avec frénésie mon index vers la gauche.

— Tu peux les manger ! Ils sont bêtes et gros !
Comme dans les livres.

Totale, néanmoins, garde le silence. J'arrête de
crier.

— Entendu, ça au moins, ça devrait te faire
plaisir.

Je sors les deux carrés Rice Krispies de Dondi que
j'ai gardés précieusement pour lui et les catapulte
dans son enclos. Aussitôt revigoré, Totale se met
debout sur ses pattes arrière pour les attraper.

Il rate.

Car il est pris de court par plus rapide que lui.

Tout compte fait, il n'y a pas que les ballons de
beach-volley qui intéressent Staci.

CHAPITRE 49

À vous qui êtes peut-être au volant d'une grosse voiture

Je conduis une Cadillac.

Bon d'accord, pas tout seul.

Je tiens le volant tandis que le Dindon du Bowling appuie sur les pédales.

— Je préférerais que tu aies refusé de le laisser faire ça, avoue ma mère depuis la banquette arrière. Timmy est plutôt du genre distrait.

— Et alors ? rétorque-t-il. Je suis juste à côté.

— C'est quoi, ce truc ? m'exclamé-je en pivotant sur moi-même pour indiquer la sculpture la plus affreuse que j'aie jamais vue dans un jardin.

La voiture fait une embardée vers le trottoir. Le Dindon du Bowling agrippe le volant.

— Tu vois ? s'énerve maman. Il a failli renverser ce vieux monsieur.

— Qu'est-ce qui t'a pris ? T'es pas bien ? me gronde le Dindon du Bowling.

Pourtant, je vais très bien. C'est la sculpture qui est une offense à la nature. Néanmoins, elle est vaguement familière.

La Sculpture

Les personnes enclines à de généreuses interprétations pourraient y voir une déesse sortie des eaux. Ou encore Adam touchant la main de Dieu.

D'après moi, c'est un singe en train de jeter un poulet.

Pour quelle raison quelqu'un choisirait-il de sculpter un singe en train de jeter un poulet ? Ne me le demandez pas. Pour faire la promotion des singes, peut-être ? Ou dénigrer les poulets. Dans un cas comme dans l'autre, ça a failli coûter la vie à un passant.

Le Dindon du Bowling décide donc de reprendre le volant pour terminer le tour du pâté de maisons avant de garer la voiture près d'un petit parc à flanc de colline.

Il sort de voiture, emportant avec lui une immense glacière qu'il pose sur une table de pique-nique.

La table est occupée par toute une bande de ses copains de bowling tellement costauds que les bancs ploient sous leur poids.

Je hais ces rendez-vous du samedi avant leur partie de bowling. J'ai si peu l'occasion de sortir de ma cellule : quelle perte de mon temps précieux.

Ma mère n'aime pas ça du tout non plus.

Alors, en général, elle joue au Frisbee avec moi.

Ce que je n'apprécie pas. Mais pas du tout.

CHAPITRE 50

Notre système éducatif croulant

En classe, on étudie la photosynthèse. Pas évident.

Au dernier rang, je tente de bâtir la plus haute tour de gommes de tous les temps.

— Timmy, tu veux bien venir ici une minute ?

C'est la voix trop guillerette du Bleu. Elle n'a aucun mal à porter jusqu'à mon bureau tout au fond de la salle.

Je me suis installé au dernier rang depuis que le Bleu nous a dit qu'on pouvait s'asseoir où on voulait. Plus discret pour mes tours de gommes.

Je remonte l'allée en décochant au passage un regard noir à Rollo, assis maintenant au premier rang. On ne s'est plus adressé la parole depuis le jour où il a saboté mon existence personnelle et professionnelle.

— Tu as une minute ? veut savoir le Bleu alors que j'arrive à son imposant bureau.

— J'en ai très peu, en réalité. Ma mère m'a enchaîné à mes manuels scolaires.

— Eh bien, tu ne donnes pas l'impression de te tuer à la tâche en ce moment, constate-t-il, l'index tourné vers ma tour de gommes.

— Je mets en pratique l'effet de la photosynthèse sur les tours de gommes. Il ne faut pas se fier aux apparences.

— Écoute, reprend-il dans sa barbe, je ne l'ai pas encore annoncé au reste de la classe mais certains éléments de ce cours m'échappent.

Cela ne m'étonne pas le moins du monde. Ce type est un ignare.

— Je ne vois pas en quoi cela me concerne.

— Tu as sûrement raison.

— Vous permettez que je retourne à mes expériences de photosynthèse ?

— Dans une minute. Laisse-moi juste te poser une question.

Il balaie la salle du regard afin de vérifier que personne n'écoute.

— Ton copain Rollo prétend qu'on te paie pour analyser les choses. C'est vrai ?

— Rollo ?

— Oui. Ton ami Rollo.

— Vous voulez parler de Gros Bidon, au premier rang ?

— Euh, je suppose, répond-il du bout des lèvres pour ne pas insulter le petit Bibendum assis devant.

— Je ne suis pas « ami » avec le garçon dodu en question. Mais oui, effectivement, je suis à la tête d'une agence de détective sur le point de figurer parmi les cinq cents entreprises les plus riches de la planète. Même si, pour l'instant, elle a mis la clé sous la porte sur ordre de mon importune mère.

— Je vois.

— Cet établissement y est largement pour quelque chose, lui rappelé-je.

— D'après toi, si je lui parlais et qu'elle me donnait son feu vert, tu serais d'accord pour effectuer quelques recherches pour mon compte ?

— OK. Donnez-moi la liste des sujets sur lesquels vous souhaitez que j'enquête d'ici la sortie des cours au plus tard, mais sachez que si ma mère met son véto, la totalité des frais devra être réglée en liquide. Je ne peux pas m'exposer au risque qu'on remonte la piste d'un chèque.

— Ne t'inquiète pas, affirme-t-il. Je vais commencer par obtenir son autorisation.

En retournant à ma place, j'examine la mer de têtes levées en pensant : leur culture générale va en prendre un méchant coup entre les mains d'un tel charlatan.

Enfin, c'est leur problème. Les affaires sont les affaires.

Dans cette jungle où les singes jettent des poulets, c'est chacun pour soi.

CHAPITRE
51

Pas de prof laissé en rade

Destinataire: Totale
— Pavillon des Ours Polaires

Encore heureux que ma génialité
s'accompagne d'une grande humilité.
Sinon, je serais tenté de me vanter.
Au lieu de cela, je ne dirai qu'une
chose :

Cette semaine, j'ai sauvé le
système éducatif de la nation
tout entière.

Enfin, je n'ai pas le temps
d'en parler.

Inutile de dire que nous avons
un nouveau prof.
C'est un ignare.

 ← Ignare

Par conséquent, je dois tout
lui expliquer.

Jusqu'ici, j'ai démêlé les
mystères de la Révolution
française, des fractions et de
la photosynthèse.

Ensuite, je le lui ai tous expliqués
en des fermes que sa cervelle de
limace pouvait appréhender:

Et devine quoi:
Toutes ces affaires sont payantes.

Enfin, en théorie.
Mais il n'a encore rien payé.

Voici le plus important:
Ma mère – l'hypocrite! – a approuvé ces transactions.

C'est exact. On dirait que la gardienne de prison a fini par reconnaître l'absurdité de fermer définitivement un empire financier.

Bref,
je n'ai pas le temps de développer.

Je dois filer démêler les mystères des conjonctions.

Au passage, entre toi et moi, tu ferais mieux d'arrêter de faire une fixette sur Staci, l'ourse polaire.

Dans ta lutte pour gagner son affection, tu as perdu face à un ballon de beach-volley.

 ← Ballon de Beach-Volley

À ta place, je me concentrerais sur les affaires qui reprennent.

Et dans lesquelles, on aura bientôt besoin de toi.

Afin d'accomplir une tâche passablement déplaisante.

CHAPITRE
52
J'ai tout lu là-dessus

Je suis réveillé par les hurlements d'une femme.

C'est la deuxième fois de la semaine que je suis réveillé par une femme qui crie.

Ma mère me présente mon bulletin de notes sur la Révolution française. Un gros B occupe le sommet de la feuille.

— Je n'en crois pas mes yeux ! s'égosille ma mère. Tu as eu un B ! Ton nouveau professeur t'a mis un B !

— Il n'y a pas de quoi se réjouir des failles de notre système éducatif, l'informé-je. L'idiot a de la chance de m'avoir. Je peux retourner me coucher ?

— Et il y a mieux encore, Timmy ! M. Jenkins a joint un mot disant que tu t'étais amélioré dans presque toutes les matières ! Je te parie que si tu continues ainsi, ils reviendront sur leur décision de te faire redoubler !

Je bâille.

— Bien sûr, rien n'est acquis. Tu devrais continuer à maintenir tes notes à ce niveau. En attendant, ça paie, Timmy. Tout ce temps passé à étudier. Ça a fini par payer !

— J'effectue des recherches, maman, lui rappelé-je. Et c'est pour le travail. Un travail dans une entreprise que tu as fait couler, ni plus ni moins.

— Peu importe comment tu vois les choses. Il faut fêter ça. Allons déjeuner quelque part tous les deux. Où tu voudras. Ça te plairait ?

— Je voudrais faire la grasse matinée. C'est samedi.

— Il est presque midi. Allez, tu vas adorer.

Je m'assois dans mon lit.

— Ce que j'aimerais, c'est...

Je m'arrête.

— Quoi ? Vas-y.

— Ce que j'aimerais, c'est reprendre mes enquêtes.

Elle s'installe à côté de moi sur le canapé-lit.

— Je sais.

— Le seul client que tu m'as autorisé à avoir est un pique-assiette bon à rien. Comment je peux diriger une entreprise dans des conditions pareilles ?

Elle m'enlace d'un bras.

— Bon, je ne peux rien promettre, d'accord ? Mais pourquoi n'en discute-t-on pas à table ce midi ?

— OK. Une visioconférence à douze heures zéro zéro ?

— C'est ça, une visioconférence à douze heures zéro zéro. Maintenant, sors de ton lit.

Je replie le canapé-lit puis me dirige vers la cuisine. Le Dindon du Bowling me salue à mon arrivée.

— Si j'ai bien compris, il y a un déjeuner au resto dans l'air, gamin, récapitule-t-il derrière son journal.

— Après, on pourra aller au parc voir mes potes de bowling. Pas mal comme programme, hein ?

Le souvenir de ces glorieux samedis me revient en pleine tête.

— Donne-moi juste un quart d'heure pour briquer la voiture, dit-il en se levant de table. Alors, on pourra y aller. Tu veux le journal ?

Il me le tend.

— Non.

— Non, *merci*, me corrige-t-il avant de le poser devant moi malgré tout.

Je le suis des yeux alors qu'il quitte l'appartement, les jambes de son pantalon en polyester bruissant l'une contre l'autre. La porte se referme dans un claquement derrière lui. C'est alors que j'apprends la nouvelle. La pire nouvelle ayant jamais fait les gros titres.

Ça ne vous dérange pas plus que ça ?

Visez un peu le membre de la famille en question.

CHAPITRE 53

L'antre du mal

Tout devient brusquement limpide.

D'abord, elle convainc son père de verser beaucoup d'argent au zoo.

Ensuite, ils changent le nom du Pavillon des ours polaires.

Pour que, au final, elle hérite de mon ours polaire.

C'est aussi clair que le lustre de la Cadillac du Dindon du Bowling. La personne même qui a volé ma Lousomobile va maintenant s'emparer de mon associé.

Je m'élance hors de l'appartement sur les traces du Dindon du Bowling.

— Je veux partir à ton pique-nique débile ! Immédiatement ! hurlé-je.

— Quoi ? demande le Dindon du Bowling en polissant sa précieuse aile de voiture.

— Ton pique-nique. Au parc. J'adore. Allons-y tout de suite.

Ma mère se tient debout près de lui.

— Tu n'as plus envie d'aller déjeuner ?

— Non ! Le pique-nique ! J'adore le pique-nique !

Elle marque une courte pause.

— Entendu. Je vais chercher mon sac.

Elle lève un sourcil perplexe à mon intention avant de rentrer dans l'immeuble pour en ressortir avec son sac à main. Le Dindon du Bowling lui ouvre la portière côté passager.

— Non, non. Pas elle. Moi, m'interposé-je, la coupant dans son élan. Je veux m'asseoir devant.

— Espèce de sale gosse mal... commence à me gronder le Dindon du Bowling en hurlant.

Ma mère réussit à le calmer.

— C'est *sa* journée, justifie-t-elle.

— OK, concède-t-il, mais il est hors de question que tu re-touches au volant, gamin, si c'est à ça que tu pensais.

— Je sais. J'aime bien m'asseoir devant, c'est tout. Surtout quand la voiture est aussi propre.

Il me fixe un moment, puis jette la peau de chamois dans le coffre.

— D'accord. Monte, dit-il.

On démarre. À un feu, il met la voiture au point mort et appuie sur l'accélérateur.

— C'est clair qu'elle aime qu'on l'astique, me raconte-t-il comme si sa voiture était vivante. Écoute-moi un peu ce ronron.

J'observe son pied sur la pédale d'accélérateur.

Il repasse la première. La Cadillac descend la rue dans un crissement de pneus. On n'a pas pris cette rue la dernière fois.

— Ce n'est pas le chemin pour aller au parc ! m'écrié-je. Il faut reprendre la même route.

— Qu'est-ce que ça peut te faire ? demande le Dindon du Bowling.

— Aujourd'hui, on fête *mon* bulletin !

Il lance un regard à ma mère, en arrière.

— J'ai bien peur qu'il ait raison, acquiesce-t-elle d'un air désolé.

— C'est bon. Comment on y est allés la dernière fois ?

Je lui indique le chemin et il suit mes instructions à la lettre.

À un pâté de maisons du parc, je l'aperçois enfin.

— Arrête la voiture ! commandé-je dans un cri.

— Quoi encore ? grogne-t-il.

— La maison, là, avec la sculpture ! Là !

— Ça ne va pas recommencer, commente ma mère depuis son siège.

— C'est quoi ton problème avec ce machin débile ? lance le Dindon du Bowling. Va falloir t'en remettre.

— Il est moche, c'est tout, dis-je en l'observant. Ça gâche le style de toute la maison.

— Pauv' tache, lâche-t-il.

Dans le rétroviseur, je surprends ma mère à froncer les sourcils mais je ne sais pas à propos de qui.

On remonte la pente jusqu'au parc.

— Ne te gare pas là, lui ordonné-je. Gare-toi ici.

J'indique l'endroit, le long du trottoir opposé, où l'on s'est parqués la fois précédente.

— Tu pousses le bouchon vachement loin, gamin. Tu sais ça ? rouspète-t-il.

— J'aime bien avoir mes habitudes.

Après une grande inspiration, il effectue une manœuvre pour aller se garer en face, dans la rue.

— Tout le monde met la main à la patte, déclare le Dindon du Bowling qui ouvre son coffre.

Il prend la glacière ainsi qu'un carton de six canettes de Coca ; ensuite, il tend à ma mère une chaise pliante. Il referme le coffre et verrouille la voiture.

— Prends ça, exige maman en me tendant les boissons.

— Je suis capable de porter d'autres trucs, les informé-je tous les deux. Passe-moi les clés : je vais faire un autre voyage.

Le Dindon du Bowling me dévisage avec incrédulité.

— C'est la moindre des choses après avoir été aussi pénible à l'aller, insisté-je.

— D'accord. (Il me lance les clés.) Mais ne pose rien sur le capot sinon tu vas le rayer.

Je patiente jusqu'à ce qu'ils se soient enfoncés dans le parc jusqu'à être hors de vue.

Je flanque le Coca par terre.

Au son des bulles qui s'échappent des canettes dans mon dos, je pique un sprint en direction de la maison au bas de la colline.

Je m'arrête au bord de la pelouse qui s'étend au pied de sa façade.

Puis je sors le carnet de détective de Sa Méchanceté de la poche arrière de mon pantalon.

Je l'ouvre à la dernière page.

Et voilà.

Le dessin de l'œuvre d'art qu'elle a fabriquée pour les portes ouvertes de l'école.

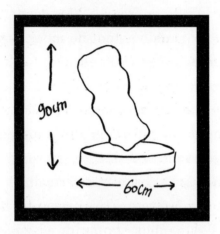

La réplique exacte de celle posée sur sa pelouse, à l'avant.

Je l'ai trouvée. Sa forteresse. La citadelle. Le domicile de celle que je ne laisserai pas voler mon ours polaire.

Je repars en courant vers la Cadillac. Le corps agité de frissons, j'ouvre la portière et saute sur le siège du conducteur. Je m'efforce de me souvenir de tous les gestes du Dindon du Bowling pour venir ici.

Première étape, le contact. Mes doigts tremblent sur les clés. Je parviens tout de même à trouver la bonne. Je le glisse dans la fente avant de la tourner.

Le moteur s'anime.

Deuxième étape, la pédale d'accélérateur. J'allonge ma jambe au maximum afin d'appuyer dessus.

Le moteur ronfle comme au feu rouge, plus tôt. Un ronflement plus fort et plus bruyant.

Le long de ce trottoir, je peux regarder par-dessus le volant et dans mon champ de vision, j'aperçois droit devant, ma cible, au bas de la rue : la maison. Il me suffit de passer une vitesse et de donner un petit coup sur la pédale d'accélérateur.

Je mets les gaz.

Le grondement du moteur me fascine.

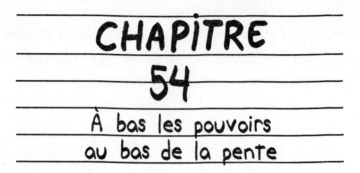

CHAPITRE 54

À bas les pouvoirs au bas de la pente

Pourtant, je ne passe pas à l'acte. J'en suis incapable. Sans mon associé, mon équipe est amputée de moitié. Je suis un homme sans couverture. Un homme sans muscle. Il me faut Totale.

←Totale

J'envisage de prendre la voiture mais renonce. Trop risqué. Descendre la colline en roulant ? Passe encore. Traverser la ville jusqu'au zoo ? Hors de question.

Je bondis hors de la voiture et pars en courant vers le zoo. Mais stoppe net une rue plus loin. Ça ne va pas marcher. Cet ours est pris au piège de l'autre côté d'un fossé large de six mètres. *Il ne pourra jamais sauter aussi loin.* Il n'est déjà pas capable de sauter par-dessus une boîte de flageolets.

C'est alors que j'ai une idée.

Laissons tomber la boîte de flageolets. J'ai mieux.

Je tourne les talons. Direction l'école.

Sur place, le tournoi de foot du samedi après-midi bat son plein. Je traverse trois terrains pour parvenir à celui qui m'intéresse. Je sprinte jusqu'à la femme, debout, au milieu.

— Qu'est-ce que tu fabriques ici ? me demande Dondi Sweetwater. Je suis en train d'arbitrer un match.

— Il me faut des carrés !

— Des quoi ? hurle-t-elle.

Un joueur me passe à côté en driblant, balle au pied.

— Des carrés ! insisté-je.

— Ah. (Elle se baisse pour éviter un ballon volant.) Pourquoi ?

— Pas d'importance. J'en ai besoin.

— C'est entendu, cède-t-elle alors qu'un garçon s'écrase contre sa cuisse. Va voir dans la glacière rouge, là-bas. J'en ai un paquet plein. Je les gardais pour les enfants après, mais...

Je n'entends pas le reste de sa phrase. Car je suis heurté de plein fouet par un ballon de football assassin.

Sonné mais conscient, je reste bravement sur mes jambes et cours vers la ligne de touche.

Là, j'ouvre la glacière et je m'empare des carrés.

Avant de partir en trombe en direction du zoo.

Sauf que je n'ai pas d'argent pour payer l'entrée. Je passe donc en douce sous la cabine de l'ouvreuse, plié en deux, et m'élance vers la section des mammifères de l'Arctique. Là, en boule, Totale dort dans un coin.

Je déchire la boîte de carrés de Rice Krispies pour en sortir deux que je tiens haut au-dessus de ma tête.

Le regard fixe, par-dessus le vaste fossé, j'observe le nez de Totale qui se met à remuer. Il ouvre l'œil droit. Puis le gauche.

Alors, il se hisse sur ses pattes arrière et pousse un rugissement.

Quand Staci le plaque à terre d'une patte.

Sans même lacher le ballon de beach-volley qu'elle tient dans l'autre.

Staci gronde : elle veut les carrés de Rice Krispies. Totale se recroqueville sur lui-même puis bat en retraite vers le fond de l'enclos.

Il ne me reste plus qu'une solution : prendre toute la boîte de carrés de Rice Krispies à deux mains et la brandir très haut.

Totale n'a jamais vu autant de carrés de Rice Krispies en une fois.

Il explose comme un boulet de canon.

Sautant du sol en pierre de l'enclos.

Pour passer par-dessus la piscine.

À gauche de Staci qui laisse tomber son ballon en voyant :

Totale qui franchit le fossé de six mètres en un bond.

Avant que je puisse l'arrêter, il a ses deux pattes sur les carrés qu'il engloutit avec leurs papiers d'emballage.

— Tu mangeras en route ! crié-je. On a du pain sur la planche !

Je saute sur son dos pour partir vers le parc, jetant des carrés dans sa bouche tout au long du chemin. Je ne l'ai jamais vu courir aussi vite.

On passe en foulées devant la maison de Sa

Méchanceté. On remonte la pente aussi vite pour fondre sur la Cadillac reluisante.

Totale plonge sur la banquette arrière. Je mets le contact et fais ronfler le moteur avant d'enclencher une vitesse.

La voiture dévale la pente.

Ça, c'est pour la CCIA.

Dépasse en un éclair les véhicules sur le bas-côté.

Ça, c'est pour m'avoir piqué mes dossiers.

Fonce devant les pelouses vertes.

Ça, c'est pour la Lousomobile.

Saute par-dessus le trottoir.

Ça, c'est pour Totale.

Et s'engouffre par la fenêtre du salon.

Dans une explosion retentissante d'éclats de briques, de bois, de métal et de verre.

La voiture s'immobilise au pied d'une table de salon. De la fumée sort du radiateur fichu de la Cadillac.

Alors que l'écran de fumée se dissipe, je darde un coup d'œil par le pare-brise éclaté. Cependant, je ne vois nulle part Sa Maljesté.

Je me tourne vers Totale :

— C'est la bonne maison, n'est-ce pas ?

Pas de réponse.

Je regarde par le trou immense dans le mur, derrière moi : la sculpture est dispersée en mille morceaux sur l'herbe.

— Je reconnais la sculpture, donc c'est *forcément* la bonne adresse.

Je cherche un indice, une trace de sa Maljesté. Rien.

C'est alors que j'entends une voix depuis la banquette arrière.

— Pourquoi tu fais ça ? veut savoir Totale.

— Quoi ?

— Pourquoi tu fais ça ?

— Pourquoi je fais quoi ?

— *Pourquoi tu fais ça ?*

CHAPITRE 55

Devine qui vient dîner

C'est ma mère. Ma mère en colère.

— Pourquoi tu fais ça ? braille-t-elle.

Je suis au volant de la Cadillac. Garée au sommet de la colline. Le moteur tourne. Mais je ne l'ai conduite nulle part.

— Alors c'est pour ça que tu voulais les clés ? Pour faire ronfler le moteur ?

J'aperçois Crispin qui accourt vers moi depuis la grille du parc.

— Non mais c'est pas vrai ! T'es complètement cinglé ou quoi ?

Il se penche par-dessus moi pour couper le contact.

— Je voulais juste entendre le bruit du moteur une fois de plus, expliqué-je. Le vroum-vroum que tu as fait au feu rouge.

— Tu vois ? le réprimande ma mère. Voilà où ça mène quand tu le laisses tenir le volant. Tout ça pour frimer avec ta stupide voiture.

— Où ça mène quand *je* le laisse tenir le volant ? rétorque-t-il sur le même ton. C'est toi qui passes ton temps à le couver.

— Moi, je le couve ?

— Oh que oui ! Pourquoi tu crois qu'il vit toujours dans un monde imaginaire ? Moi, j'essaie simplement de lui montrer comment devenir un homme.

Il remet le contact.

— Vas-y, fais ronfler le moteur, le môme. Allez, lâche-toi !

— Tu es ridicule, lui reproche maman. Ce n'est pas comme ça qu'il va devenir un homme !

Crispin ouvre la portière passager pour s'asseoir près de moi.

— Tu veux entendre à nouveau le bruit que j'ai fait au feu rouge ? me propose-t-il.

— Coupe le contact, Crispin ! lui commande ma mère en hurlant.

— Vas-y ! Mets-toi au point mort et appuie sur la pédale d'accélérateur ! La voiture n'avancera pas.

Je lui obéis.

— Arrête ça, Crispin ! insiste maman.

— Allez, maintenant, passe la première, gamin. Vas-y ! J'ai un pied sur la pédale de frein ! Tu vas voir, on va faire crisser les pneus.

— Je n'ai pas envie, refusé-je.

Ma paupière gauche se met à trembler.

— Tu comptes rester dans les jupons de ta mère toute ta vie ? me crie-t-il. Enclenche la première ! Je freine ! Passe la première !

Maman se précipite vers la portière du conducteur juste au moment où Crispin enclenche une vitesse.

Sauf qu'il ne freine pas en même temps.

Car il tombe par sa portière ouverte.

— TIMMMMMY ! hurle ma mère tandis que la voiture fait une embardée pour dévaler la pente.

Crispin bondit sur ses jambes et s'élance à la poursuite de la voiture.

Trop tard. La Cadillac fonce vers le bas de la côte. Un vrai boulet de canon qui file droit en direction de la maison de Corrina Corrina. Alors que j'essaie désespérément de piler du pied droit sur la pédale de frein, je glisse de mon siège jusque sous le tableau de bord. Je me roule en boule, prêt pour l'impact...

Je ne sais rien de ce qui se produit ensuite. Car tout ce dont je me souviens, c'est qu'à mon réveil, dans un nuage de fumée, j'ai entendu des voix d'adultes qui s'efforçaient d'escalader l'immense trou dans le mur et que j'ai aperçu à travers le pare-brise fêlé un fauteuil inclinable recouvert d'une housse en plastique et quelqu'un assis dessus. Quelqu'un en train de dîner devant la télé.

À cet instant, une lumière, dans mon esprit, s'est allumée. Au sujet de Corrina Corrina. Et de sa façon de lécher les bottes des gens qui ont de l'autorité. Ainsi que de leur faire des cadeaux. Comme ces sculptures hideuses qu'elle fabrique elle-même pour qu'ils les mettent sur les pelouses devant chez eux. Notamment celle qu'elle a offerte à ce type. Le type assis face à moi.

Fraîchement rentré de Floride.

CHAPITRE
56
Des ennuis dans la zone rouge

Je n'ai pas grand commentaire à formuler sur mon passage au poste de police. Si ce n'est que c'était le dernier endroit où ma mère et moi, on a vu ce type.

Le DINDON du BOWLING

Sauf qu'il ne ressemblait pas à ça, mais à ce qui suit :

Il est accusé d'avoir mis en péril la propriété d'autrui ou un truc dans le style. Les flics l'ont méchamment cuisiné. Il a été vraiment secoué, le pauvre nul. Pas moi. Moi, j'ai traîné mes guêtres dans tellement de commissariats que je peux pratiquement m'y repérer les yeux fermés. Normal, avec mon boulot. Et je savais que les flics insisteraient pour m'appeler Détective Lalouse. J'ai donc voulu les mettre tout de suite à l'aise.

Le commissaire a réclamé ma déposition au sujet de l'accident de voiture. J'ai accepté. Et suis resté clair, net et précis. Pas de crise d'hystérie. Rien que des faits. Je savais exactement ce que les agents voulaient.

Après, j'ai pris une petite gorgée du lait au chocolat qu'ils m'ont donné (rehaussé d'une larme de scotch, selon eux) et je leur ai conseillé d'y aller mollo avec le Dindon du Bowling. Le pauvre bougre est simplement dévoyé malgré lui, les ai-je avertis.

Ensuite, j'ai eu le droit à une visite du commissariat. Je n'en avais pas franchement envie.

Seulement, je ne voulais pas les offusquer. On est passés devant l'accueil, les cellules des détenus, et à travers la salle de repos des officiers. C'était pas mal. Mais pas de quoi en rebattre les oreilles de maman avec ça. Jusqu'à ce qu'on arrive à l'endroit où ils gardent les objets confisqués, dehors. Et que je découvre un truc qui là, valait le coup que je bassine maman.

Je l'ai reconnu grâce à l'éraflure que j'ai faite le jour où je suis rentré dans Rollo.

— Où est-ce que vous l'avez trouvée ? ai-je interrogé le lieutenant avec lequel j'effectuais la visite.

Il a examiné brièvement l'étiquette accrochée au guidon.

— Elle était en infraction : garée dans une zone interdite.

J'ai repensé à la rue des Hodges. Effectivement, je me souvenais du panneau rouge « interdiction de se garer ». Mais aucun flic qui se respecte ne confisquerait le véhicule d'un détective.

— C'est impossible, ai-je dit au lieutenant. C'est un véhicule volé. Volé et emmené ici. Probablement par quelqu'un de cette taille.

J'ai placé ma main à un mètre vingt du sol.

— Un lutin ? a-t-il demandé en riant de sa question.

← LUTIN

— Je ne plaisante pas, lieutenant. C'est une fille. Cheveux noirs. Aussi à cheval sur l'éthique qu'un mulet.

— Je ne suis pas au courant du tout.

— J'ai vu le véhicule ! insisté-je. Derrière une banque ! C'est de la contrebande !

Le lieutenant a secoué la tête.

— Fiston, je ne vois vraiment pas de quoi tu parles. Tous ces engins se ressemblent.

Il est rentré à l'intérieur des locaux.

— Vous ne comprenez pas ! ai-je crié dans son dos.

— Merci pour ton temps, a-t-il conclu en refermant la porte de derrière.

— C'est un *complot* ! me suis-je révolté.

Mais il était déjà parti.

CHAPITRE
57
Pour qui sonne le télétimmy

— La seule raison pour laquelle j'ai dit à ta mère qu'il n'y avait pas de pièce, c'est parce que *je ne savais pas* que tu en faisais une. Tu ne m'en as jamais parlé.

Charles « Rollo » Tookus se tient debout, au bas de la fenêtre de mon appartement. On est en train de mettre les choses au point, lui et moi.

— Et je n'ai pas *emmené* mon prof particulier voir la pièce. C'est elle qui a insisté, raconte-t-il. Et puis d'abord, si on parlait un peu de toi et de tous les devoirs collectifs, et du coffre de la banque et...

— Houla houla houla, l'arrêté-je. Le coffre de la banque, c'est ta faute.

— Soit. Mais pas le devoir collectif.

Je devine qu'il attend des excuses. J'accède donc à sa requête.

— L'erreur est humaine.

Rollo sourit.

— Amis ?

— Inutile de verser dans le sentimentalisme. Monte. Je voudrais te montrer mon nouveau...

Ma réplique, cependant, est interrompue par le bruit d'impact de balles qu'un tireur d'élite projette sur mon carreau. En vitesse, je me réfugie sous le rebord de fenêtre. Mes réflexes sont plus rapides que l'éclair.

Une fois la fusillade terminée, je risque un coup d'œil dehors.

Et reconnais Molly Moskins.

Des Ferrero Rocher plein les mains.

— Des chocolats pour mon amoureux ! crie-t-elle dans ma direction.

— Laisse-moi tranquille, Molly Moskins ! hurlé-je. Tu as déjà assez terrorisé la ville comme ça !

— Mais j'ai du travail pour toi ! promet-elle en lançant un nouveau Rocher.

Il me touche pile-poil à l'œil.

— Aaaah ! C'est malin ! Tu m'as rendu aveugle.

← Aveugle

— Je t'ai rendu aveugle ? s'inquiète-t-elle. Tu es sûr ? Donc tu ne vois pas ça ?

Elle soulève le bas de son pantalon. Ses chevilles sont nues.

— On m'a volé mes chaussettes !

PAS DE CHAUSSETTES

— Un criminel *mondialnational* ! ajoute-t-elle.

Je n'ai pas le temps de lui répondre. Quelqu'un a frappé à la porte de chez moi.

J'ouvre. C'est Rollo.

— Ça va, ton œil ?

— Pas vraiment, non. Il semble qu'elle ait endommagé le péroné.

— Le péroné, c'est dans la jambe.

— Tu n'y connais rien.

— Alors, qu'est-ce que tu voulais me montrer ?

— Suis-moi.

On se met en route sur fond sonore des Ferrero Rocher qui tapent contre la vitre.

— Ma mère a enlevé tous ses vêtements, raconté-je face au placard de la chambre de maman. Elle m'a donné la permission de m'y installer pour l'instant. Elle va mettre ses affaires ailleurs en attendant.

— Il est plus petit que celui que tu avais avant, constate-t-il.

— Évidemment qu'il est plus petit, imbécile. C'est *moi* qui l'ai voulu. Ma mère m'a demandé de réduire le volume de mes activités de détective. Avec un bureau plus petit, elle a l'impression que je l'écoute.

— Ah.

— Qui plus est, je suis toujours sans associé, donc le montant de la paie des salariés est divisé par deux.

— Au fait, tu as rendu son carnet de détective à mon prof particulier ? veut savoir Rollo.

— Non. C'est ma mère qui s'en est occupée. Elle l'a trouvé sur la banquette de la Cadillac et l'a remis au père de sa Maljesté.

— Tu l'as lu ?

— Bien sûr que je l'ai lu. Perte de temps totale. Que des trucs persos. Je suis certain que ça a dû barber son père au possible.

Il s'apprête à poser une autre question mais je ne suis plus disponible.

Le Télétimmy sonne.

CHAPITRE
58
Élèmentaire, mon cher Gunnar

— T'es en retard ! m'accueille Gunnar. Je t'ai téléphoné il y a une demi-heure.

— C'est indépendant de ma volonté. Des forces en dehors du contrôle de l'entreprise ont proscrit l'usage de la Lousomobile à compter d'aujourd'hui.

— Ouais, répond-il en riant, j'ai entendu dire qu'elle avait été remorquée par une dépanneuse et que cela avait coûté un pont à ta mère de...

— Elle a été volée, idiot ! Volée ! Je l'ai vu de mes propres yeux derrière le QG de Sa Méchanceté.

— Il y a plus d'un Segway au monde, Timmy.

— C'est pour ça que tu m'as fait venir ici ? Pour que je perde mon temps ?

— Relax, Timmy. Je voulais juste avoir des nouvelles de mon dossier. Tu n'as jamais résolu le mystère.

— Ah non ? dis-je d'un air entendu.

— Si ?

Je récapitule donc les faits. Un par un. Avec une précision d'horloger. La chambre de son frère Gabe. La citrouille vide. Les traces de chocolat partout sur le visage de Gabe. Son alibi.

— Alors c'était Gabe ? conclut-il à la fin.

Je réprime un éclat de rire.

— Gunnar, tu te souviens de la quantité de bonbons qui avait disparu selon toi ?

— Je crois bien, oui.

— Énumère-les pour moi.

Il réfléchit un instant.

— Bon, alors, il y avait deux Mars, un Twix, sept MilkyWay, cinq Kit Kat, onze Carambar et... euh, cinq Snickers, un Malabar et...

Je l'interromps.

— Énonce la dernière partie lentement.

Il me fixe avec le regard vide d'un amateur.

— Huit Ferrero Rocher ?

— Bingo.

— Bingo ? répète-t-il.

— Bingo.

CHAPITRE
59
La victoire totale

— Tu es prêt ? lance ma mère depuis sa chambre.

Je suis en train de lire le courrier à la table de la cuisine.

— Et celle-là, c'est quoi ? demandé-je en levant la carte postale.

— On va être en retard, dit maman qui entre dans la pièce. On a déjà reporté notre réservation une fois. Tu veux fêter ton bulletin, oui ou non ?

— Ça vient de Crocus.

— Je sais. Il a touché beaucoup d'argent de son

assurance en dédommagement de sa maison. Du coup, il l'a vendue et il a déménagé.

Je lis le dos de la carte postale.

— C'est vachement gamin de sa part, constaté-je en reposant la carte.

— Tu es prêt ? On va...

Elle est coupée sur sa lancée par le crissement des pneus d'un camion qui freine. Par la fenêtre de la cuisine, j'aperçois un poids lourd sans signe distinctif.

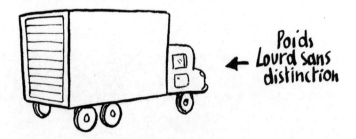

Le chauffeur sort et se dirige vers l'entrée de l'immeuble. Je viens à sa rencontre.

— Timmy Lalouse, c'toi ?

Il vérifie son bloc-notes.

— En personne. Propriétaire de Lalouse Totale, Inc. Je suppose que c'est pour une enquête.

— Une enquête ? J'fais pas d'enquête, moi.

Il soulève la grande porte coulissante à l'arrière de son camion.

— J'ai un ours.

Totale bondit hors du véhicule et me plaque au sol. Cette démonstration d'affection, avec lèches et bave à l'appui, manque totalement de professionnalisme.

Je lui rends son étreinte.

— Au zoo, ils disent qu'il ne joue pas bien avec ses camarades. Il a aussi dû faire quelque chose qui a solidement énervé un autre ours.

Totale se précipite à nouveau dans la remorque.

Pour en ressortir avec un objet qu'il me montre.

CHAPITRE
60
Et c'est reparti

Ma mère a prétendu qu'on allait au restaurant pour célébrer mes bonnes notes mais c'était une feinte. La vérité, c'était qu'on fêtait la réouverture de Lalouse Totale, Inc. car j'avais brillamment résolu toutes mes enquêtes.

Le Petit Querelleur qui avait entouré de PQ la maison des Weber ? Molly Moskins.

Le coupable du larcin dans l'affaire de la disparition des bonbons ? Molly Moskins.

Et la personne qui se cachait derrière le décès du hamster des Hodges ? Élémentaire, mes chers amis. Les hamsters sont des rongeurs. Les chats tuent les rongeurs. Et qui a un chat ?

Absolument. Le Señor Burrito de Molly Moskins est un meurtrier.

À part ça, je n'ai vraiment pas envie de parler du déjeuner de célébration parce qu'il a plus ou moins été gâché sur toute la ligne.

D'abord, ma mère m'a forcé à inviter Rollo. Grossière erreur sachant que sa moyenne générale a dernièrement chuté à 4,55 sur 5 et que sa tête était agitée de tremblements rappelant le couvercle d'une Cocotte-Minute.

Il y avait aussi Totale.

Ma mère m'a laissé lui commander du flétan. (C'est ce qui se rapprochait le plus du phoque.) Mais quel gâchis. Le gros patapouf a passé tout le repas derrière le resto.

Et la cerise sur le gâteau, ça a été Flo. Il mangeait, tout seul, au comptoir.

Moi, ça ne me dérangeait pas. Ma mère, par contre... Elle continue à le voir comme « le type louche qui est venu à la pièce ». Et je dois admettre qu'il est intimidant. Surtout sachant qu'il était en train de lire un autre ouvrage sur la manière de broyer des trucs ou tuer.

Le pire, toutefois – ce qui m'a fait grimper en flèche la tension artérielle et serrer les poings – ce sont les deux personnes assises sur la banquette dans le coin, au fond. L'une d'elle était Vous-Savez-Qui. Je vais simplement la recouvrir du petit rectangle noir sur sa tête.

Et l'autre était son père.

D'après ma mère, ils coloriaient le menu enfants ensemble. Moi, je n'ai rien vu. Par contre, j'ai constaté qu'elle souriait et rigolait.

Ce qui ne pouvait signifier qu'une chose…

Elle complotait de nouveaux actes criminels.

CE ROMAN VOUS A PLU ?

Donnez votre avis et
discutez-en avec
d'autres lecteurs sur

PAPIER À BASE DE
FIBRES CERTIFIÉES

⊟ hachette s'engage pour
l'environnement en réduisant
l'empreinte carbone de ses livres.
Celle de cet exemplaire est de :
905 g éq. CO_2
Rendez-vous sur
www.hachette-durable.fr

« Pour l'éditeur, le principe est d'utiliser des papiers composés de fibres naturelles, renouvelables, recyclables et fabriquées à partir de bois issus de forêts qui adoptent un système d'aménagement durable. En outre, l'éditeur attend de ses fournisseurs de papier qu'ils s'inscrivent dans une démarche de certification environnementale reconnue. »

Imprimé en Espagne par Rodesa
Dépôt légal 1re publication mai 2014
20.4320.6 – ISBN : 978-2-01-204320-6
Edition 01 – mai 2014